comment
peindre vite

comment
peindre vite

S. G. OLMEDO

Bordas

Traduction française : Anne Montange

Edition originale :
Cómo practicar la pintura rápida (alla prima)
© Parramón Ediciones, S. A., 1989

Edition française :
© Bordas, S. A., Paris, 1989
ISBN 2-04-018422-8
Dépôt légal : juin 1989

Achevé d'imprimer : mai 1989
Dépôt légal : B. 21.057-89
Numéro d'éditeur : 785

Imprimé par Sirven Gràfic
Gran Via, 754 - Barcelone (Espagne)

Table des matières

1

Pages précédentes : P.
L. Via, *Plage* (détail),
collection particulière.

Introduction

On a tendance à penser que la peinture est l'« art plastique » par excellence. Dans ce livre, mon propos est, en toute simplicité et objectivité, de consacrer une étude à l'art de peindre vite en faisant ressortir le caractère libre, momentané, ainsi que les sensations étonnantes qu'il révèle : le fait, assurément, de pouvoir obtenir de façon spontanée, avec peu de matériel, une représentation de ce qui nous inspire est un art qui mérite notre attention, notre intérêt.

Si l'artiste est celui qui transmet à travers son œuvre des émotions et des sentiments, on peut dire de lui qu'il est « génial » lorsque cet acte est réalisé rapidement, en toute liberté. On trouve de ces artistes dans toute l'histoire de la peinture. Mais plus encore aujourd'hui, à une époque ô combien pleine de contradictions et de tensions, je vous invite à retrouver l'émerveillement qu'il y a à peindre vite.

L'objet de ce livre est de tenter de mieux éveiller en vous le désir d'« être vous-même », et non de vous apprendre à devenir un génie. Mais, si vous le deveniez, je serais comblé. Comme toujours, la formule magique pour peindre vite et bien demande beaucoup de travail de préparation et de l'enthousiasme, en plus des expériences dont nous allons faire part et des conseils que nous allons donner, et que vous adapterez à votre personnalité.

Soyons rapide pour peindre, mais pas trop : visons juste en faisant preuve d'adresse et d'inspiration. Voilà un défi pertinent pour toute personne sensible à la peinture, à la beauté, et voulant s'exprimer avec spontanéité.

La spontanéité et l'audace sont deux des clés pour réussir à peindre vite. Nous traitons dans ce livre de cette façon de peindre en ayant recours à diverses techniques picturales. Vous vous retrouverez sans doute dans l'une ou l'autre de ces techniques. Nous avons cru intéressant d'exposer les possibilités que vous offrent l'huile acrylique, l'aquarelle et le pastel, considérés à titre d'exemples pour découvrir ce qui est notre tendance naturelle, étant entendu que nombreux sont les artistes qui emploient avec succès différentes techniques, en ayant le plaisir de varier. Il existe une infinité de matériaux pour peindre, mais notre désir est de comprendre les motivations qui nous poussent à peindre en toute liberté. La première impression est souvent la bonne. OSEZ !

2

Peindre vite est un exercice très particulier. On exprime un ensemble d
sensations, difficile à définir. Si nou
nous exprimions en termes photogra
phiques, nous dirions qu'il s'agit d'u
instantané, et en termes poétiques
d'un « souffle éphémère ». Mais, e
fait, peindre vite suscite l'admiratio
lorsque l'artiste parvient à traduire c
qu'il voit d'un geste sûr. Toute œuvr
picturale réalisée avec maîtrise, mai
peu détaillée, aux contours non défini
et peu construite, peut être considéré
comme de la peinture rapide.

La première chose à faire est d'élimi
ner les pinceaux fins et n'importe que
« outil de précision ». Ensuite, il fau
savoir ce que l'on veut : ou l'on réussi
(ce qui, bien entendu, n'arrive pas d
premier coup), ou l'on oublie l'inten
tion première et l'on recommence

Qu'est-ce que peindre vite?

ns se décourager. Peindre vite, ême si le résultat n'est pas probant, est jamais un effort vain, mais une ape qui nous fera progresser dans art de peindre. Plus il y aura d'étapes de tentatives, de pratique et œuvres déchirées, et plus nous saurons comment faire. C'est comme une ymnastique : on ne peut acquérir une onne musculature qu'au terme de ombreuses heures de pratique et de atience. Ne comptons pas trop sur le oup de chance. Peindre bien, en un etit nombre de coups de pinceau, est pas facile. Mais le plus difficile est ncore de le vouloir et dès lors d'essayer.

attitude à adopter au départ est de isir globalement la couleur et la rme, sans se préoccuper du détail. e qu'il faut, c'est cerner le motif choisi et le «filtrer» afin de n'en garder que l'essentiel, puis l'exécuter avec toute la force plastique dont nous sommes capables. La couleur et le coup de pinceau dynamique seront deux de nos meilleures armes.

Nous suivrons des artistes reconnus qui dominent leurs sujets, nous observerons les différents styles et nous irons dans des lieux artistiques où nous pourrons faire de nombreux croquis. La pratique, en définitive, est celle du tachisme. Les exercices pour peindre vite et ce livre, qui ne prétend en résumé que mettre en valeur nos aptitudes et montrer ce que nous sommes capables de réussir, compléteront notre «programme» pédagogique.

Fig. 3. Une illustration prometteuse, qui est à elle seule source d'inspiration.

3

DE GRANDS EXEMPLES POUR PEINDRE VITE

Rembrandt

Tant d'artistes se sont illustrés par la liberté et la souplesse de leur geste qu'on devrait retracer toute l'histoire de la peinture. Nous ne citerons que quelques exemples remarquables.

Rembrandt (1606-1669) est peut-être l'un des premiers à se différencier par son geste précis, généreux et incisif. Il naquit à Leyde, en Hollande, et y commença ses études, qu'il poursuivit à Amsterdam. Ses premières œuvres connues datent de 1626, peu après que son pays eut obtenu l'indépendance. Rembrandt s'installa à Amsterdam comme peintre portraitiste, et il se fit particulièrement remarquer en 1632, avec son tableau *La Leçon d'anatomie du docteur Tulp*. Une de ses œuvres les plus célèbres est un portrait de groupe appelé *La Compagnie du capitaine Frans Banning Cocq* (Amsterdam, Rijksmuseum), plus connue sous le titre *La Ronde de nuit*.

Ses portraits des années 1650 et 1660 sont des œuvres maîtresses, faisant preuve d'une grande finesse psychologique. Une longue série d'autoportraits ponctue chaque étape de sa carrière, et chaque moment de désillusion est prétexte à une autoanalyse progressive. La production de Rembrandt fut prodigieuse : il existe de lui à peu près six cent cinquante peintures, environ trois cents eaux-fortes et deux mille dessins. Il enseigna durant quelques années dans un grand atelier et eut comme élèves des artistes tels que Bol, Flinck, Koninck et d'autres.

Rembrandt montra, à une époque où le classicisme s'était partout imposé, que l'on pouvait traiter avec audace et liberté dans le geste un thème aussi peu courant que celui du *Mouton*. Nous y découvrons le génie créatif de l'artiste, qui peint la vie quotidienne avec un réalisme stupéfiant. Ce n'est pas que nous soyons contre le perfectionnisme ou l'hyperréalisme en peinture, mais précisément à cette occasion, nous allons essayer d'étudier et de comprendre tout le contraire. Rembrandt se détacha du style figuratif des formes traditionnelles et fit de la peinture un instrument de recherche susceptible d'analyser la réalité humaine avec une grande acuité et une grande sensibilité. Durant sa vie tourmentée, il connut le sommet de la gloire, mais aussi la solitude et la misère. Il mourut à Amsterdam en 1669.

5

Fig. 4 et 5. Rembrandt (1606-1669). *Le Bœuf écorché*, peinture, 1655, musée du Louvre, Paris ; *Portrait de Titus lisant*, peinture, 1656-1657, Kunsthistorisches Museum, Vienne. Titus, qui a posé pour ce tableau, était le fils de Rembrandt. En médaillon : *Portrait de l'artiste par lui-même* (détail), vers 1660, musée du Louvre, Paris.

4

Goya

Francisco de Goya y Lucientes (1746-1828) naquit à Fuendetodos, un petit village de l'Aragon. Il fit ses études à Saragosse et devint le premier *pintor de cámara* de Ferdinand VII (1799). On dit de Goya qu'il fut le premier des anciens maîtres, comme il fut aussi le premier des maîtres modernes. Si nous contemplons ses eaux-fortes formant la série des *Désastres de la guerre*, nous remarquerons avec quelle aisance ce génie décrit, comme un reporter de l'époque, les moments les plus dramatiques au moyen d'un graphisme rapide, vif et vigoureux.

Goya illustre magistralement ce qu'est l'art de peindre vite. Il immortalisa une grande quantité de passes de cape dans la série de la *Tauromachie*, le mouvement étant fixé pour toujours grâce à l'immédiateté du dessin. En 1732, il se mit à souffrir d'une maladie qui allait le rendre sourd — ce qui ne fit, sans doute, qu'accentuer son caractère introverti et critique. D'où son comportement face à certaines œuvres qui ne faisaient généralement pas partie de commandes, et où la fantaisie et l'invention dont l'artiste fit preuve semblent sans limite.

Fig. 6. Francisco de Goya y Lucientes (1746-1828). *Deux Étrangers*, peinture, 1821-1822, musée du Prado, Madrid. Une peinture appartenant à la *Maison du sourd*, également appelée *Lutte à coups de bâton*.

oya s'en prit avec un esprit satirique
cruel aux coutumes de l'époque, en
rticulier à la corruption des ecclé-
astiques. Cependant, en 1798, il tra-
illa pour l'Église, sur les fresques
e la coupole de Saint-Antoine-de-la-
loride, à Madrid.

n 1808, les troupes de Napoléon en-
hirent l'Espagne et provoquèrent
exil de Ferdinand VII, qui fut rem-
acé par Joseph Bonaparte. Avec
ide de Wellington (dont Goya fit le
ortrait en 1812), on expulsa les Fran-
is pour rétablir la monarchie espa-
ole. Goya continua de travailler à la

cour jusqu'en 1824. Puis il alla à Paris
et à Bordeaux, où il fixa définitivement
sa résidence d'exil volontaire. Il se
consacra de nouveau aux lithographies
en réalisant de nombreux monotypes
(estampes en un seul exemplaire).

Les portraits peints par Goya rappel-
lent ceux de Mengs et des portraitistes
anglais du XVIIIᵉ siècle. Goya admirait
profondément Vélasquez, qui l'avait
précédé comme peintre du roi. Il affir-
ma son style, qui, déjà, n'était pas si
loin de l'impressionnisme.

Fig. 7. Francisco de Go-
ya y Lucientes (1746-
1828). *Le 3 Mai 1808*
(détail), peinture, 1814,
musée du Prado, Ma-
drid. Détail du déchirant
tableau peint par Goya
sur les fusillades du 3
mai à la Moncloa.

Turner

Joseph Mallord William Turner (1775-1851) naquit à Maiden Lane, Covent Garden, en Grande-Bretagne. Ce fut un talent précoce. En 1789, il entra dans les écoles de l'Académie royale et exposa pour la première fois en 1791.

Il fut membre de l'Académie royale britannique, associé dès 1799, puis à part entière en 1802 (à l'âge de vingt-sept ans), et il enseigna la perspective en 1807.

En 1792, Turner fit son premier voyage, au cours duquel il réalisa des croquis, qui furent l'expression privilégiée de son art durant le demi-siècle qui suivit.

Turner fut d'abord aquarelliste, fidèle aux goûts traditionnels. En 1797, il exposa ses premières huiles, visiblement influencées par la peinture hollandaise du XVIIe siècle. Puis il subit l'influence de Wilson et de Claude. En 1802, il alla voir, en compagnie d'autres artistes, les tableaux emportés par Napoléon pour être exposés au musée du Louvre. Il y découvrit Poussin, auquel il voua une admiration particulière. C'est alors qu'il peignit une œuvre majeure, *Le Quai de Calais*, actuellement exposée à la National Gallery — peinture très romantique, que l'on crut inachevée. Cela lui valut d'être attaqué pendant plusieurs années par sir George Beaumont, critique renommé de l'époque. Mais de nombreux artistes prirent ardemment sa défense, parmi lesquels des admirateurs de l'expression spontanée, vaporeuse, académiquement inachevée.

Encouragé par Lawrence, Turner se rendit en Italie pour la première fois en 1819. C'est alors que ses huiles acquirent le coloris brillant et légèrement passé qu'il avait obtenu dans ses aquarelles ; la lumière pleine de couleur ; la « brume teintée », selon l'expression de Constable. On estime que ses dernières aquarelles et gouaches vénitiennes offrent les effets de lumière les plus accomplis de son œuvre.

Ruskin défendit l'art de Turner dans son livre *Les Peintres modernes*. Il mit en valeur le style insinuant, abstrait, face à la peinture beaucoup plus réaliste des préraphaélites, plus en accord il est vrai avec le goût général de l'époque.

Turner nous a laissé presque trois cents peintures et quelque vingt mille aquarelles et dessins. Son œuvre a été honteusement ignorée. Dans la Sommerset House, ancien siège de l'Académie royale britannique, on est en train d'aménager une salle qui lui sera consacrée. On pourra admirer dans tous ses tableaux l'exemple d'une force suggestive extraordinaire.

Fig. 9. Joseph Mallord William Turner (1775-1851). *Pluie, vapeur et vitesse*, le « Great Western Railway », peint vers 1840-1844, The National Gallery, London. La lumière et la couleur créent une atmosphère magique d'un grand charme pictural.

Fig. 10. Détail d'une des œuvres les plus représentatives de l'art de Turner : *Venise, lever de lune*, aquarelle, 1840, British Museum, London.

Fig. 8. Joseph Mallord William Turner (1775-1851). *Yacht s'approchant de la côte*, peinture, vers 1835-1840, The Tate Gallery, Londres. Turner fut incontestablement l'un des plus grands peintres de son époque.

10

Van Gogh

L'œuvre de Vincent Van Gogh (1853-1890), génie de la peinture universelle, est un exemple évident de l'art de peindre vite. Fils d'un pasteur néerlandais, Van Gogh fut employé de librairie, étudiant en théologie, et même missionnaire évangéliste parmi les mineurs du Borinage, en Belgique, dont il partageait la pauvreté et les fatigues. Il commença à peindre et à dessiner en 1880, prenant quelques cours à Bruxelles avec Antoine Maure, à La Haye et à Anvers. Mais c'est en 1886, lorsqu'il retrouva son frère Théo à Paris, qu'il eut son premier contact avec la peinture impressionniste et qu'il fit la connaissance de Lautrec, Pissarro, Degas, Seurat et Gauguin.

En 1888, Van Gogh s'installa à Arles, où Gauguin le rejoignit plus tard. C'est cette année-là que se manifestèrent les premiers symptômes de sa maladie mentale qui le tourmentèrent jusqu'à la fin de sa vie. Certaines périodes de lucidité lui permirent de peindre dans les asiles d'Arles et de Saint-Rémy-de-Provence, et d'écrire ses longues lettres révélatrices à son frère Théo, qui ne cessa de lui prodiguer aide morale et matérielle.

La période hollandaise fut caractérisée par une prédominance de couleurs foncées, mais, dès son arrivée à Paris, de grands changements se produisirent dans sa palette comme dans sa thématique. Il s'inspira des impressionnistes et se mit à peindre des paysages parisiens, des portraits et autoportraits, dans lesquels il mettait en pratique ce qu'il venait de découvrir. Plus tard, ses œuvres reflétèrent l'influence du *synthétisme* (simplification des formes et couleurs moins modulées).

Il est surprenant de voir dans les tableaux de Van Gogh la luminosité de la couleur qui éclaire chaque forme tourmentée, parfaite expression d'une sensibilité torturée. Mais ce qu'il a surtout transmis, outre cette étude de la couleur, c'est l'exemple d'une peinture irraisonnée, inquiète, vibrante, au mouvement joyeux et rapide.

Fig. 11 à 13. Vincent Van Gogh (1853-1890). *Portrait de l'artiste par lui-même à l'estampe japonaise*, 1887, Kunstmuseum, Bâle ; *Les Souliers*, 1887, The Cone Collection, Baltimore Museum of Art ; *La Fête du 14 juillet à Paris* (attribué), peinture, 1886, collection Jaggli Hahnloser, Winterthur.

11

12

Picasso

Pablo Ruiz Picasso (1881-1973) naquit à Málaga, mais passa la majeure partie de sa vie en France. Fils d'un professeur d'art, il fit preuve très jeune d'un talent remarquable. On affirme qu'aucun homme avant lui n'avait changé aussi radicalement la nature de l'art. De même que Giotto, Michel-Ange ou le Bernin, l'histoire de l'art le situe au commencement d'une nouvelle étape. Après avoir fréquenté les milieux artistiques de Barcelone, Picasso se joignit à Paris, en 1901, à de jeunes bohèmes attirés par l'atmosphère stimulante de la capitale de l'art. L'impressionnisme tardif se traduisit chez lui par un mélange confus, dont témoignent certaines gravures parisiennes : mendiants, prostituées, enfants malades, affamés, etc. Tout cela dans un tumulte d'influences contemporaines, perçues par un exceptionnel génie créateur.

L'atelier de Picasso au Bateau-lavoir fut un centre d'intérêt culturel. On y rencontrait Jarry, Jacob, Salmon, Reverdy et Apollinaire. C'est à cette époque que l'on passa de ce que l'on appela la « période bleue » à la « période rose ». Picasso s'essaya également à la sculpture. Il fit la connaissance de Matisse, impressionné par le leader des « fauves », il s'intéressa à l'art d'Afrique noire. En 1906, il peignit *Les Demoiselles d'Avignon*. Plus tard, il se lia d'amitié avec Braque et Derain, s'initiant au mouvement cubiste. Le génie que manifestait son œuvre éveilla l'intérêt des jeunes.

Le nom de Picasso est synonyme de modernité et d'avant-garde. Son activité de peintre, de sculpteur et de graveur fut constante, et sans limite d'expression. Parmi ses œuvres les plus populaires figure *Guernica*. Sa manière, louée ou critiquée, a toujours été au centre des discussions sur l'art moderne, car Picasso a toujours été capable de surprendre par sa vivacité inépuisable, sa force et sa fantaisie poétique. « Je peins les objets comme je les pense, et non comme je les vois », dit-il.

Fig. 14 et 15. Pab Ruiz Picasso (188 1973). *La Corrida,* pa tel et gouache, 190 musée Can Ferrat, S ges ; *Autoportrait* (P ris, 1907), huile sur to le, Narodni Galerie, Pr gue.

14

CONCEPTS DE BASE

L'attrait du sujet

La beauté est partout. La nature nous invite à la découvrir. Tout ce qui nous entoure est digne d'intérêt. Il suffit de choisir un motif, de travailler ses formes, sa couleur, et de mettre son imagination créatrice au service du sujet choisi. Ce peut être un paysage, un personnage, une fleur ou un objet. L'important est de renvoyer l'image que nous contemplons au spectateur, personnalisée, transfigurée. Plus le sujet nous séduira, plus la représentation plastique que nous en donnerons aura de la force et de la qualité.

Fig. 16 à 24. Devant nous, tout un éventail de possibilités. La nature nous offre une infinité de sujets. Il suffit de savoir les trouver.

21

22

23

24

Croquis rapides

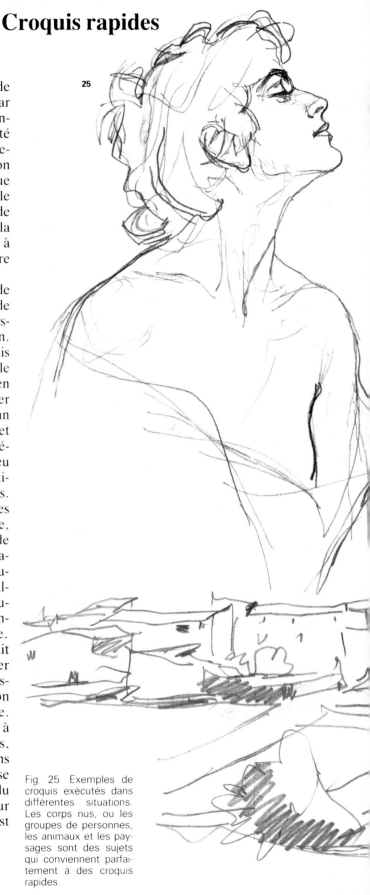

Tout artiste désirant maîtriser l'art de peindre vite devra commencer par beaucoup pratiquer le croquis, base indispensable pour acquérir l'agilité mentale qu'il faut et capter le mouvement caractéristique de la pose qu'on veut représenter. Cette gymnastique mentale et physique que suppose le croquis nous aidera et nous donnera de l'assurance pour passer du trait à la couleur. Nous parviendrons ainsi à peindre vite sans nous en rendre compte.

Dans tous les traités de dessin et de peinture, on insiste sur la nécessité de faire des croquis, apprentissage indispensable pour maîtriser l'art du dessin. C'est en assistant à un cours de croquis d'après nature que nous tirerons le meilleur profit de cet exercice. Il n'en reste pas moins qu'on peut le pratiquer n'importe où, dès lors que l'on a un crayon ou un stylo, quelques feuilles et surtout le désir de saisir ce qui se présente à nous. On peut, avec un peu d'audace mais aussi avec discrétion, tirer parti de personnages intéressants. Dans les bars, les restaurants, les gares, les salles d'attente ou à la plage, nous disposons d'une variété infinie de modèles. Notre travail, devant être rapide, doit aussi passer inaperçu du public. Je vous conseille également d'aller au zoo, où l'on peut saisir le mouvement des animaux. Cela nous entraîne à plus de vivacité dans le geste. Pour peindre vite, voici ce qu'il serait idéal de faire : regarder, mémoriser l'image, se la rappeler quelques instants, et la transcrire à coups de crayon avec le plus de ressemblance possible. En répétant cela, nous réussirons à rendre rapidement, en quelques lignes, l'image, l'émotion que nous désirons faire passer. Bien qu'il n'y paraisse pas, c'est la partie la plus difficile du travail, et je ne connais aucun détour pour éviter le problème — si ce n'est essayer de nouveau...

Fig. 25. Exemples de croquis exécutés dans différentes situations. Les corps nus, ou les groupes de personnes, les animaux et les paysages sont des sujets qui conviennent parfaitement à des croquis rapides.

Fig. 26. Cours de peinture d'après modèle vivant, à Barcelone : un endroit idéal pour la pratique du croquis rapide.

26

La couleur

Fig. 27. Disposition la plus courante des couleurs à l'huile pour peindre vite. Il faut aller progressivement de la gamme des couleurs chaudes à la gamme des couleurs froides.

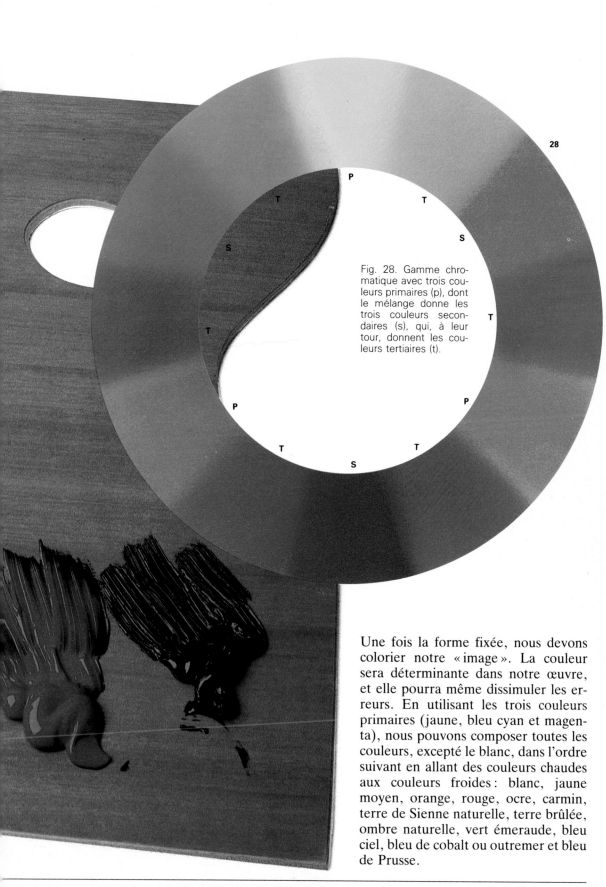

Fig. 28. Gamme chromatique avec trois couleurs primaires (p), dont le mélange donne les trois couleurs secondaires (s), qui, à leur tour, donnent les couleurs tertiaires (t).

Une fois la forme fixée, nous devons colorier notre «image». La couleur sera déterminante dans notre œuvre, et elle pourra même dissimuler les erreurs. En utilisant les trois couleurs primaires (jaune, bleu cyan et magenta), nous pouvons composer toutes les couleurs, excepté le blanc, dans l'ordre suivant en allant des couleurs chaudes aux couleurs froides : blanc, jaune moyen, orange, rouge, ocre, carmin, terre de Sienne naturelle, terre brûlée, ombre naturelle, vert émeraude, bleu ciel, bleu de cobalt ou outremer et bleu de Prusse.

Gamme de couleurs

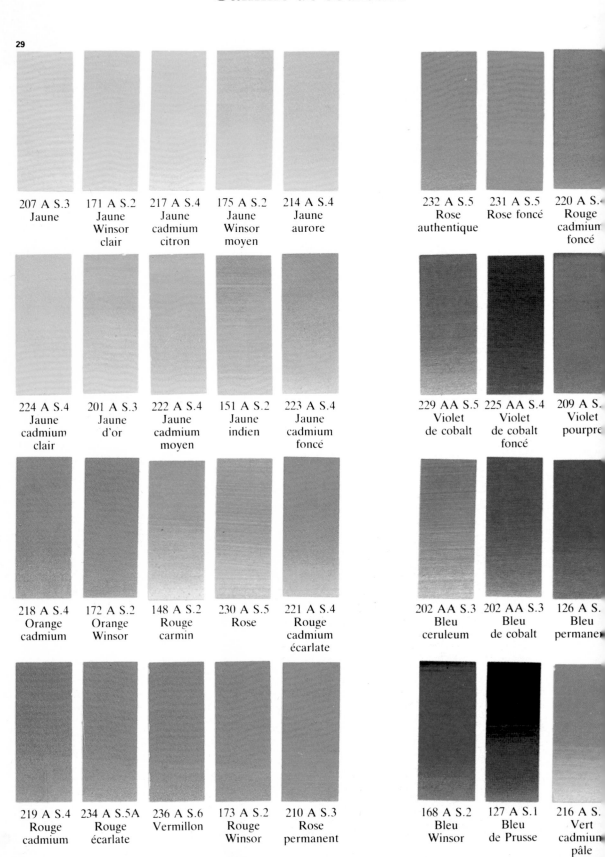

29

| 207 A S.3 Jaune | 171 A S.2 Jaune Winsor clair | 217 A S.4 Jaune cadmium citron | 175 A S.2 Jaune Winsor moyen | 214 A S.4 Jaune aurore | | 232 A S.5 Rose authentique | 231 A S.5 Rose foncé | 220 A S. Rouge cadmium foncé |

| 224 A S.4 Jaune cadmium clair | 201 A S.3 Jaune d'or | 222 A S.4 Jaune cadmium moyen | 151 A S.2 Jaune indien | 223 A S.4 Jaune cadmium foncé | | 229 AA S.5 Violet de cobalt | 225 AA S.4 Violet de cobalt foncé | 209 A S. Violet pourpre |

| 218 A S.4 Orange cadmium | 172 A S.2 Orange Winsor | 148 A S.2 Rouge carmin | 230 A S.5 Rose | 221 A S.4 Rouge cadmium écarlate | | 202 AA S.3 Bleu ceruleum | 202 AA S.3 Bleu de cobalt | 126 A S. Bleu permanen |

| 219 A S.4 Rouge cadmium | 234 A S.5A Rouge écarlate | 236 A S.6 Vermillon | 173 A S.2 Rouge Winsor | 210 A S.3 Rose permanent | | 168 A S.2 Bleu Winsor | 127 A S.1 Bleu de Prusse | 216 A S. Vert cadmium pâle |

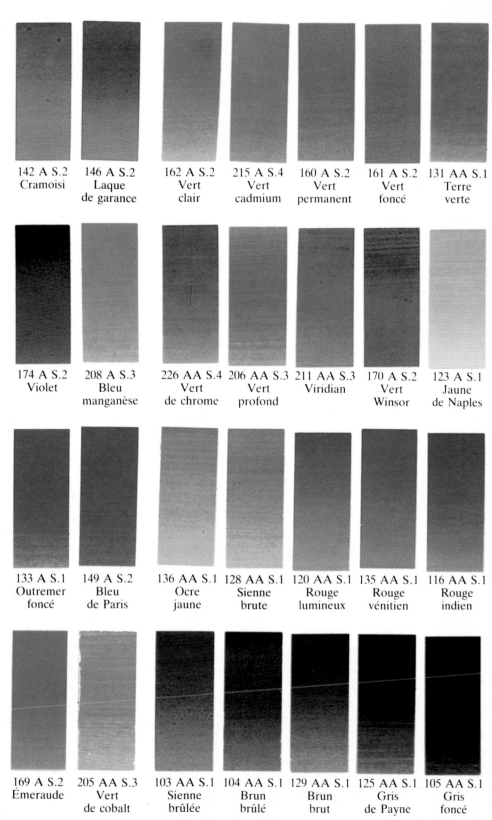

Fig. 29. Gamme des couleurs à l'huile.

| 142 A S.2 Cramoisi | 146 A S.2 Laque de garance | 162 A S.2 Vert clair | 215 A S.4 Vert cadmium | 160 A S.2 Vert permanent | 161 A S.2 Vert foncé | 131 AA S.1 Terre verte |

| 174 A S.2 Violet | 208 A S.3 Bleu manganèse | 226 AA S.4 Vert de chrome | 206 AA S.3 Vert profond | 211 AA S.3 Viridian | 170 A S.2 Vert Winsor | 123 A S.1 Jaune de Naples |

| 133 A S.1 Outremer foncé | 149 A S.2 Bleu de Paris | 136 AA S.1 Ocre jaune | 128 AA S.1 Sienne brute | 120 AA S.1 Rouge lumineux | 135 AA S.1 Rouge vénitien | 116 AA S.1 Rouge indien |

| 169 A S.2 Émeraude | 205 AA S.3 Vert de cobalt | 103 AA S.1 Sienne brûlée | 104 AA S.1 Brun brûlé | 129 AA S.1 Brun brut | 125 AA S.1 Gris de Payne | 105 AA S.1 Gris foncé |

L'instantané

Très rapidement, avant que le modèle qui se trouve devant nous ne bouge, nous exécuterons un « croquis rapide en couleur ». Nous allons faire comme les grands maîtres. Imaginons Van Gogh, Goya ou Picasso devant une scène en mouvement. Il s'agit de capter, comme si nous avions un appareil photographique, la forme et la couleur de l'image, poser des touches sur la toile en ayant bien cette idée en tête qu'il faut donner un coup d'œil rapide afin de concrétiser un peu plus notre impression première. Si le modèle a changé de pose avant que nous l'ayons regardé à nouveau, nous devrons nous en tenir au mouvement initial et nous appuyer sur notre imagination et notre fantaisie. C'est à ce titre que, vraiment, nous peindrons vite.

Fig. 30. Le « Passeig de Colón », vu par Mompou (1888-1968). Quatre coups de pinceau adroitement donnés suffisent pour nous permettre de reconnaître le lieu dont il s'agit.

Fig. 31 à 33. Une scène quotidienne sur la plage peut être un bon sujet pour un croquis rapide.

La synthèse

Avoir l'esprit de synthèse est bien la qualité primordiale pour parvenir à nos fins : peindre avec adresse et assurance.

Synthétiser, c'est abstraire et éliminer les détails superflus, décomposer l'image. Pour en revenir à un exemple photographique, il ne s'agit pas de faire de mise au point précise de ce que nous voulons peindre. Il suffit de plisser légèrement les yeux. La mise en place des formes et des taches de couleur, traduites en ombres et en lumière, ne pourra être très nette. Ainsi, vous allez acquérir progressivement l'esprit de synthèse.

Dans l'illustration, nous voyons l'image réelle transposée en une image en couleur faite de taches géométriques simplifiées. Inspirez-vous de cette façon de faire, et vous obtiendrez un résultat acceptable. Les dessins des enfants nous paraissent souvent géniaux ; c'est précisément parce que le détail ne leur paraît pas important et qu'ils vont droit au but. Ils sentent l'essentiel des choses et font la synthèse, sans même le chercher. Retrouvons donc notre âme d'enfant et ne nous soucions pas des détails. Il faut nous attacher aux formes principales et aux couleurs.

Lorsque nous aurons compris l'art de la synthèse en peinture, nous pourrons peindre sans faire de faux pas. Il nous faut alors employer un seul pinceau, ou deux tout au plus, de graduation élevée. En utilisant cette technique apparemment facile, nous parviendrons à notre but sans nous perdre dans des détails inutiles.

Fig. 34 à 39. Cette suite d'illustrations montre le procédé de synthèse d'un modèle figuratif. La photographie décentrée rend le même effet que si nous regardions le modèle en plissant les yeux : taches de couleur, lumières et ombres. Dans l'illustration 37, nous voyons la distribution des couleurs par zones, depuis le premier pas jusqu'à la synthèse. Dans les illustrations 38 et 39, le tableau est exécuté à l'aide de coups de pinceau rapides ; on se passe des détails et l'on cherche l'essentiel, en complétant, pour finir, le procédé de synthèse.

34   35

36

37

Une seule séance

Peindre vite se fait en une seule séance. L'œuvre commencée sera terminée en quelques heures, et non en plusieurs jours. Combien d'heures ? Cela dépendra de vous. Quatre heures peuvent suffire, mais il ne s'agit pas d'une course contre la montre. Cet exercice peut varier en durée selon les capacités et l'adresse de l'artiste. Nous allons essayer d'analyser les différentes étapes d'une œuvre exécutée en quatre heures.

La première heure nous servira à faire le croquis au crayon ou à la sanguine : le thème choisi est un groupe de barques sur la plage. Vous adapterez cet exposé à l'inspiration du moment. Une fois l'esquisse placée, nous pourrons faire une pose. Durant deuxième étape, nous poserons des touches de couleur sur tout le tableau de façon approximative, sans craindre de se tromper. Bien souvent, corrige une erreur produit un effet positif inattendu. C'est ce que nous pouvons constater lors de la troisième étape, e

40

41

pprofondissant. C'est alors que nous
renons les limites de nos possibilités.
ous construisons le tableau en le des-
nant avec de la couleur, en précisant
s formes, en jouant avec les effets de
mière, avec le contraste — bref, en
i donnant vie. Maintenant, nous
bordons la couleur, qui doit être riche
t abondante. Pour terminer, nous
uancerons et tempérerons un peu
otre « ardeur ». Il suffira de quelques
étails pour faciliter la lecture de
œuvre, et nous pourrons la considérer

comme rapidement achevée. L'essentiel est de ne pas tomber dans le détail
inutile qui alourdirait une œuvre dont
on fera l'éloge pour la rapidité de son
exécution. Quatre heures ont passé.
Vous pouvez signer.

Fig. 40 à 43. Voici les
quatre étapes qui per-
mettent de peindre un
sujet en à peu près
quatre heures.

2　　　　　　　　　43

PEINDRE VITE
À L'HUILE

Le matériel

Pour arriver à un bon résultat avec n'importe laquelle des techniques picturales que nous allons examiner, il est nécessaire de posséder un bon matériel, autant en ce qui concerne la peinture que les ustensiles. Nous citerons, en introduction à ce chapitre, le matériel qui nous semble le plus approprié à peindre vite.

L'histoire nous a appris que l'huile, par ses réelles possibilités, restait la technique picturale privilégiée.

Les tubes de couleurs peuvent s'acheter à la pièce ou en étui, dans lequel sont réunis les éléments indispensables : pinceaux, palette, dissolvants, etc. Il existe différents types d'étuis, attrayants pour tout amateur.

En outre, il nous faut des châssis avec leur toile (de différentes qualités), des planches de bois ou de bristol préparées au blanc d'œuf. On trouve sur le marché une grande variété de chevalets, mais le plus pratique reste la boîte-chevalet qui réunit les deux éléments en un seul objet fonctionnel. Citons également les fusains ou crayons,

la gomme, les chiffons, les spatules et quelques pinceaux assez larges afin de mieux servir notre dessein. Enfin, nous avons besoin de fixatifs et de vernis pour les dernières touches.

Fig. 44. Présentation d matériel. De gauche droite : boîte de fusain de marque Koh-i-noor pinceaux à manche for cé en poil de porc n° 12 9, 8 et 6 ; crayon Der went Sketching (noir) crayon Conté blanc porte-crayons métall que ; gomme Staed ler ; boîte de tubes d'hu les doublée ; flacon d'essence de téréber thine ; flacon d'huile d lin purifiée ; flacon d siccatif de cobalt ; boî te-chevalet de plein air tubes d'huiles Blockx tube de pâte « moyen Rembrandt ; spatules grands tubes d'huile blanc titane ; récipien d'un demi-litre d'essen ce de térébenthine.

SUPPORTS
A - Contreplaqué.
B - Carton gris épais, en duit au préalable de colle.
C - Toile de lin.
D - Toile de lin qualité standard avec enduit

44

B

D

Le sujet : un coin de l'atelier

Je crois que l'artiste disposé à explorer différentes techniques pour *faire* de la peinture arrivera à se perfectionner professionnellement. C'est la raison pour laquelle je n'envie pas les peintres trop vite satisfaits. Pour ma part, je ne suis jamais totalement satisfait de mon travail.

Poussé par cette inquiétude, je vais me mettre à un tableau à l'huile ; j'ai choisi pour cela un sujet familier : un coin de mon atelier. J'espère que le fait de ne pas m'attarder sur le détail et que mon souci pour la synthèse et la couleur susciteront l'intérêt du lecteur pour l'art de peindre vite.

Je place sur le chevalet une toile peinte 20 figure, sur laquelle j'ai appliqué un enduit de couleur ocre foncé.

J'emploie un passe-partout noir type fenêtre pour encadrer le sujet ; une fois l'encadrement choisi, je dessine un croquis à la craie blanche en situant les formes sur la surface du tableau.

Ce tableau à l'huile dont je décris la réalisation pas à pas dans les pages suivantes peut, je crois, être un bon exemple de l'art de peindre vite.

Fig. 45. Salvador G[...] zález Olmedo, pein[...] et auteur de quelq[...] livres sur le dessin e[...] peinture.

Fig. 46. L'atelier d[...] medo, quelques [...] tants avant commencer un ex[...] cice pratique de p[...] ture à l'huile.

Fig. 47. Photographie du sujet choisi par Olmedo : un coin du studio même de l'artiste.

Fig. 48. Dessin à la craie blanche sur une toile 20 figure avec un fond ocre préalablement peint par Olmedo.

Deuxième étape : le fond

Impatient de commencer à peindre, je place les couleurs dans l'ordre suivant : blanc, jaune cadmium, ocre, rouge de Perse, laque de garance, Sienne brûlée, terre d'ombre brûlée, vert clair, vert émeraude, bleu de cobalt et bleu de Prusse. J'en ajouterai encore une : le rouge cadmium. Lorsqu'on est pour réaliser une peinture en grand format, il faut disposer de la quantité de couleur nécessaire sur la palette, et surtout de blanc. Pour cela, je vide le tube de blanc en zinc en le pressant avec le manche d'un gros pinceau. Je prépare ensuite les pinceaux : un plat, en poil de porc, de 4 cm de large, et un autre plus petit, de même qualité ; deux pinceaux n° 10 et 14, également en poil de porc, et je laisse à portée de main d'autres pinceaux semblables, pour m'en servir si besoin est. Bien qu'on n'en utilise peu (quatre dans ce cas), il vaut mieux en prévoir d'autres pour les couleurs claires et d'autres encore, de même référence, pour les couleurs foncées. On évite ainsi d'avoir à les nettoyer tant que dure l'exercice. Je mélange du bleu de Prusse, du vert émeraude et de la terre brûlée avec du blanc pour obtenir un gris qui me servira à peindre le fond et à délimiter les formes.

49

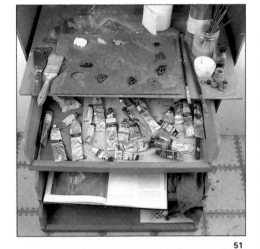

50

51

Fig. 49. Palette, tub de couleurs à l'hu pinceaux, spatules autres matériaux e ployés par Olmedo.

Fig. 50. Voyez comment vider un tu de peinture à l'huile, le pressant avec manche d'un gros p ceau.

52

53

Fig. 51. Olmedo mé-
lange du bleu de
Prusse, du vert éme-
raude, du blanc, du car-
min pour obtenir un gris
avec lequel il peindra le
fond.

Fig. 52. Deuxième
étape du tableau : fond
gris et réserve pour les
objets.

Fig. 53. Pinceaux, pin-
ceaux plats et spatules
employés pour peindre
vite à l'huile.

Troisième étape : la couleur apparaît

J'entame la troisième étape du tableau, absorbé par la recherche des couleurs. Celles-ci doivent être propres et le tableau, une fois terminé, doit refléter la spontanéité avec laquelle il a été exécuté. Pour le fini, on ne doit insister sur aucune zone du tableau.

Avec le plus petit des pinceaux plats, je trace de larges traits verticaux. Ils seront circulaires sur le centre de la capeline et ondulés sur le rebord.

Après avoir peint la capeline, j'en viens à des détails moins ardus, tels que la base du meuble dans la partie inférieure droite, le dossier du sofa et les tableaux.

Dans cette façon de faire, il est important d'employer la même couleur pour différentes zones du tableau. J'ai peint dans ce cas le support de la plante avec la même couleur paille que la capeline, puis j'ai utilisé pour la fleur rouge et le rebord du classeur le même carmin que celui de la robe.

J'ajoute ensuite du blanc au carmin, et je peins en rose la partie supérieure de la robe. Puis je mélange du jaune cadmium et du carmin pour une autre fleur et la boîte de bière. J'applique ensuite du jaune cadmium et du vert pour les feuilles du bouquet de fleurs, le vase, et le fond d'un des tableaux. Je réserve une couleur pour la fin de cette étape : du bleu de cobalt pour la couverture du livre.

Fig. 58. Troisième étape : Olmedo a placé les couleurs dominantes du tableau.

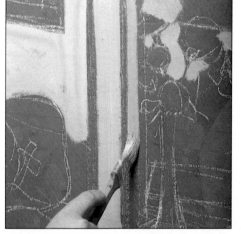

54

55

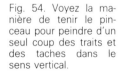

Fig. 54. Voyez la manière de tenir le pinceau pour peindre d'un seul coup des traits et des taches dans le sens vertical.

Fig. 55. Les traits sont maintenant circulaires et rendent ainsi mieux la forme de la capeline.

58

Fig. 56. Ici, Olmedo mélange de l'ocre, du gris et du blanc pour obtenir la couleur paille de la capeline.

Fig. 57. Avec de la laque de garance et du blanc, notre artiste invité obtient exactement la nuance de rose qu'il cherchait pour la **57** robe.

Quatrième étape : on intensifie la couleur

Cette étape est sans doute la plus intéressante. N'ayant plus la préoccupation que donne un tableau à commencer, le peintre se trouve dans une sorte de béatitude et jouit pleinement de ce qu'il est en train de réaliser. Il faut profiter de ces instants, les meilleurs, afin de couper court à toute insatisfaction une fois le tableau terminé.

Je peins en blanc les feuilles du livre, pour que la couverture ressorte mieux. A ce stade, la plupart des couleurs sont déjà définitives. N'oubliez pas qu'il s'agit de peindre vite, et qu'il ne faut donc pas insister sur les détails. Je fais cependant un léger voile sur le bord de la capeline, obtenant de la sorte un meilleur effet de volume. Je m'autorise à poser directement le rouge en le sortant du tube afin de colorer la fleur. Je pourrais également avoir recours à ce procédé qui consiste à mélanger la couleur avec les doigts. En peinture, tout est permis, si le résultat est bon.

Je peins maintenant en noir le cadre du tableau, la plante, un des livres et quelques ombres. Mais... permettez-moi de rectifier : en fait, il ne s'agit pas de noir, car il n'y en a pas sur ma palette, mais d'une couleur très foncée, presque noire, que j'ai obtenue en mélangeant du bleu de Prusse, du vert émeraude et du terre d'ombre brûlée. Je peins ensuite en gris moyen les ombres portées de quelques objets sur le mur et, en ajoutant un peu de bleu, je rends les ombres de la partie inférieure.

Ici se termine cette étape du tableau. Il faut être exigeant envers soi-même et, répétons-le, se garder d'insister sur les détails. C'est la seule manière d'obtenir le fini spontané que nous nous sommes proposé d'exécuter dans cet exercice.

Fig. 63. Quatrième étape : le tableau est presque terminé. Olmedo n'a plus que quelques détails à peindre.

59

60

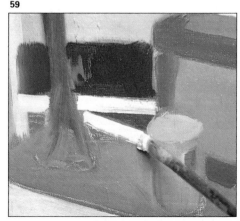

Fig. 59. Olmedo peint les pages des livres en blanc, lequel contraste avec le bleu de la couverture.

Fig. 60. En adoptant un ton plus foncé pour le bord du chapeau, Olmedo obtient un meilleur effet de volume.

63

Fig. 61. Cette illustra-
tion vous montre un ex-
cellent moyen de
peindre vite : Olmedo
applique directement la
couleur rouge telle
qu'elle sort du tube,
pour peindre la rose.

Fig. 62. Dans la pein-
ture à l'huile, on peut
mélanger les couleurs
62 avec les doigts.

Cinquième et dernière étape : les détails du fini

Je rajoute à présent quelques détails : le trou de la boîte de bière, quelques touches sur le bouquet de fleurs, quelques traits blancs sur le rouge carmin de la robe... et la signature.

Moins de trois heures ont suffi pour peindre un coin de mon atelier, dont les potentialités esthétiques passaient, il est vrai, inaperçues, avant que je commence ce tableau.

J'espère vous avoir démontré que l'art de peindre vite tient au naturel et à la spontanéité qu'il exige du peintre, et qu'il s'applique avec prédilection aux sujets que peut nous inspirer la vie quotidienne sans qu'il soit besoin de les idéaliser.

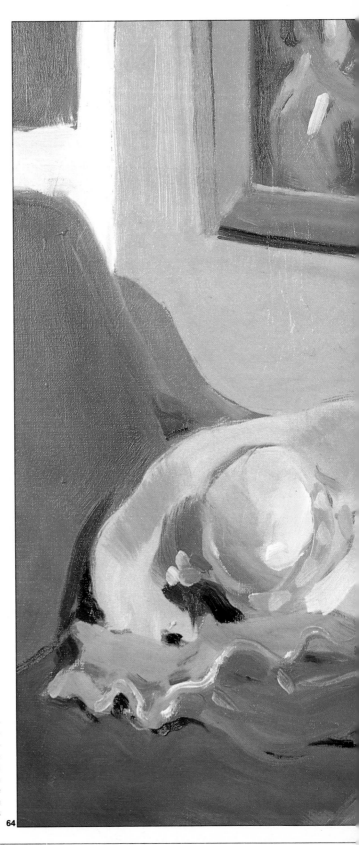

Fig. 64. Étape finale du tableau d'Olmedo. La manière de peindre suppose que l'on n'insiste pas trop ; l'exécution doit être spontanée, et répondre à l'intention initiale. Il s'agit là d'un bon exemple de l'art de peindre vite à l'huile en un peu moins de trois heures.

PEINDRE VITE
À L'ACRYLIQUE

Le matériel

Fig. 65. Présentation du matériel. De gauche à droite : chevalet d'atelier ; toile sur châssis n° 8 ; récipient d'eau ; couleurs acryliques en grands flacons A. Vallejo ; étui de couleurs acryliques Rembrandt et palette en plastique jetable ; trois tubes de peinture acrylique Liquitex ; flacons de peinture acrylique pour aérographe et de peinture acrylique « médium » ; flacon de vernis ; palette avec gamme de couleurs ; couleurs à l'unité de marque Rembrandt ; boîte de peinture en bois ; pinceaux en poil de bœuf n° 22 et en poil de porc n° 12.

La peinture acrylique est une invention encore récente, qui a élargi la gamme déjà très riche des techniques picturales. Il s'agit d'une émulsion à base de polymères acryliques-vinyliques. Cette peinture synthétique permet de combiner des procédés propres à l'huile et à l'aquarelle, selon qu'on l'applique en couches épaisses ou transparentes. Cette émulsion plastique est soluble dans l'eau et ses substances sont capables d'adhérer à tout type de surface. De plus, une fois sèche, elle se transforme en une masse insoluble dans l'eau, et très résistante. La peinture à l'acrylique est tout à fait indiquée pour peindre vite, en utilisant les mêmes procédés que ceux qu'on applique traditionnellement à l'huile. Grâce aux propriétés d'un de ses polymères, on obtient de larges empâtements. Comme la peinture à l'huile, la peinture acrylique se présente en tubes de différentes dimensions et en boîtes-étuis contenant des gammes complètes. Il existe aussi des récipients de grande taille pour les artistes spécialisés dans les œuvres murales de grand format. Nous ajouterons que la caractéristique la plus intéressante de l'acrylique est sans doute son séchage rapide.

65

series
3
REMBRANDT
ACRYLIC MEDIU
MAT
series
3
REMBRANDT
varnish mat
vernis / firnis
vernis / fernis / vernice
acrylic
colour

Peindre un portrait

L'un des avantages les plus importants de la peinture acrylique est que, grâce à son séchage rapide, on peut en un seul coup de pinceau poser une couleur sur une autre, sans qu'elles se mélangent. Et, si nous désirons obtenir des mélanges entre les couleurs, nous devons travailler avec beaucoup de rapidité pour qu'elles ne sèchent pas avant l'effet recherché. C'est en raison de cette propriété que la peinture acrylique semble particulièrement indiquée pour peindre vite. Nous allons l'utiliser pour exécuter un portrait en quelques coups de pinceau. Ce n'est pas facile, mais abordons la question avec assurance.

Sur un croquis de la tête répondant aux normes du canon (deux sphères superposées, une ligne centrale et des perpendiculaires à celle-ci, pour l'emplacement des yeux et de la bouche), nous traçons un dessin qui contient les traits du visage les plus caractéristiques du modèle : ici, un enfant. Nous posons des touches de couleur sur le visage dans un ton presque uniforme, presque transparent, pour voir encore les lignes du crayon. Quelques taches foncées dans les tons gris-bleu ou gris-vert situent la chevelure. Nous les peignons en préservant bien les plages blanches. Quelques coups de pinceau de carmin-marron brossent l'emplacement du pull-over. A l'étape suivante, nous donnons du volume au visage avec des nuances ocre-vert et couleur terre. Nous ajoutons un peu de couleur aux lèvres et, avec un marron foncé presque noir, nous définissons les yeux, les cils et les cheveux. Un petit coup de pinceau (reflet brillant sur les lèvres, les yeux et les cheveux) et quelques touches supplémentaires suffiront pour parvenir à nos fins.

Fig. 66. Un enfant e[st] toujours un bon suj[et] pour faire un portra[it] croquis avec adress[e] sans cependant nég[li]ger le dessin dans [le] souci d'obtenir u[ne] bonne ressemblance.

Fig. 67. Tracé des pri[n]cipales lignes du c[a]drage au crayon.

Fig. 68. Premier croqu[is] en couleur, peint ave[c] un seul pinceau, q[ui] laissera place ensuite [à] l'évaluation de la co[u]leur.

66

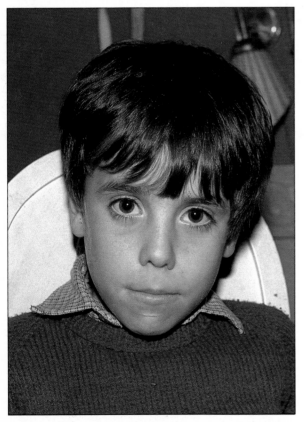

Fig. 69. Deuxième
étape. Les traits du mo-
dèle, yeux, nez et
bouche, sont situés. Le
volume de la tête a été
travaillé et le pull-over a
été peint.

Fig. 70. Étape finale. Mettre quelques points brillants, concrétiser les ombres et les lumières des yeux pour donner de l'expression au regard... et terminer. C'est un portrait qui demande peu de coups de pinceau.

Un sujet proche de nous

Il n'est pas vraiment nécessaire d'aller chercher loin un motif. Il faut profiter à tout moment de son désir de peindre. Si nous observons attentivement autour de nous avec des yeux d'artiste, nous trouverons des sujets très valables. Rappelez-vous *La Chambre de Van Gogh*. Son génie créatif a transfiguré un sujet pourtant bien modeste. Il suffit de lever les yeux vers notre étagère, de regarder par la fenêtre, ou de rester dans la partie de l'atelier où l'on se sent le mieux, de préparer notre palette et, avec les peintures acryliques, d'exécuter le motif choisi. Nous devons commencer par un croquis, qui servira à situer différents éléments. Sans nous perdre dans les détails, gardons bien l'esprit de synthèse. Lorsque

72

tout semblera ordonné, nous donnerons quelques touches destinées à définir la couleur. Ce sera une première étape de l'art de peindre vite, inspiré par des éléments de notre entourage immédiat. Quelques touches préciseront encore plus les formes (lumière et ombres, peut-être). Puis nous passerons à une seconde et dernière étape.

Fig. 71. Il y a toujours un sujet à interpréter près de nous. Regardez ce qui vous entoure.

Fig. 72 à 74. Interprétation de la photographie du modèle (ill. 71), réalisée en trois étapes (pour obtenir un résultat « libre »).

74

Le paysage

Le paysage, si souvent peint à l'huile, est tout aussi désigné pour mettre à profit les caractéristiques de l'acrylique. Avec cette technique, presque sans le vouloir, nous obtenons une peinture plus libre, dans laquelle nous pouvons expérimenter un procédé mixte (aquarelle-huile), en alternant des zones de transparence avec d'autres, plus empâtées. Comme nous le constatons, nous obtenons les nuances désirées avec des mélanges de couleur, exactement de la même façon qu'avec l'huile, mais nous devons les utiliser plus rapidement à cause de leur

séchage rapide. Cette propriété si particulière à la couleur acrylique est ce qui donnera au tableau son caractère « léger ».
Un conseil très pratique : attaquez vos paysages sans avoir peur de vous tromper, en sachant que n'importe quelle erreur sera facilement rattrapée grâce au pouvoir couvrant du matériau. Cela peut aboutir à une grande richesse chromatique, avec des surfaces plus texturées, et tout en gardant plus d'aisance dans vos possibilités.
La texture finale d'un paysage peint à l'acrylique présente peu de différence

Fig. 75. Le paysage [...] ral est presque toujo[...] un sujet de choix p[...] les coloristes. [...] exemple permet d'[...] précier avec éviden[...] le pouvoir couvrant [...] la peinture acrylique [...] lisée aussitôt après [...] séchage de la coule[...] précédente. Voyez a[...] si la transparence [...] tenue avec la coule[...] diluée.

Fig. 76 à 79. En méla[...] geant de l'orange, [...] cobalt et du vert ém[...] raude, on obtient [...] ocre verdâtre ; avec [...] l'orange, du vert ém[...] raude, de l'ocre et [...] jaune, on obtient [...] ocre-jaune brillan[...] avec de la laque de g[...] rance, du bleu out[...] mer et un p[...] d'orange, on obtient [...]

76

77

avec celle d'un paysage peint à l'huile. Son exécution requiert cependant une habileté particulière pour profiter de tous les avantages que nous offre le matériau. Observez les taches rouges (coquelicots) sur l'exemple : la couleur reste pure, sans être ternie par le vert du fond ; les fenêtres et les portes gardent toute la force de leur couleur foncée puisqu'elles ont été peintes sur le fond clair des maisons, déjà complètement sec.

Pouvoir peindre sans quasiment aucun temps mort, humide ou sec, facilite beaucoup le travail. Mettre trop de peinture donne une texture épaisse, due à la superposition exagérée de couches, laquelle trahit un manque de confiance, difficile à dissimuler.

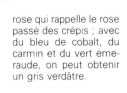

rose qui rappelle le rose passé des crépis ; avec du bleu de cobalt, du carmin et du vert émeraude, on peut obtenir un gris verdâtre.

78   79

PEINDRE VITE À L'AQUARELLE

Le matériel

Fig. 80. Présentation du matériel. De gauche à droite : étui de pastilles d'aquarelle semi-humide de Talens ; étui d'aquarelle en tubes Schmincke ; trois crayons aquarelles Caran d'Ache ; un pinceau plat en poil de porc et un autre en nylon n° 14 ; encres Winsor & Newton ; aniline V. Vallejo ; rouleau de papier adhésif ; pinceaux en poil de martre n° 14 et, dans la marque Da Vinci, n° 4 et 1 ; récipient en verre et chiffons.

L'aquarelle est, après l'huile, la technique picturale le plus utilisée par les grands artistes. L'aquarelle est un médium soluble dans l'eau et transparent, qui utilise le blanc du papier ; celui-ci sert de référence pour les tons de chaque couleur. En appliquant des lavis transparents les uns sur les autres, on obtient les degrés de nuance et de ton. L'aquarelle est composée de couleur en poudre et de gomme arabique. Elle s'applique en lavis successifs sur un papier généralement blanc.

Cette technique a été particulièrement prisée en Angleterre, par les peintres J.R. Cozens, Girtin, Cotman et Turner.

On trouve de l'aquarelle dans tous les magasins spécialisés, dans différentes qualités et variétés de couleur : l'aquarelle pâteuse ou humide (présentée en tubes de zinc) ou l'aquarelle sèche, en pastilles ou en godets. Il existe aussi de l'aquarelle liquide (écoline), présentée dans des encriers de verre. En plus de couleurs, il faut s'approvisionner en bon papier pour aquarelle, qui existe dans plusieurs marques avec des grains différents.

Les pinceaux pour l'aquarelle sont en poil de martre. Les numéros 3, 8 et 1 nous suffiront, plus une éponge pour laver la surface totale. Ah ! nous allions oublier quelque chose d'important : un grand récipient d'eau propre et des chiffons.

80

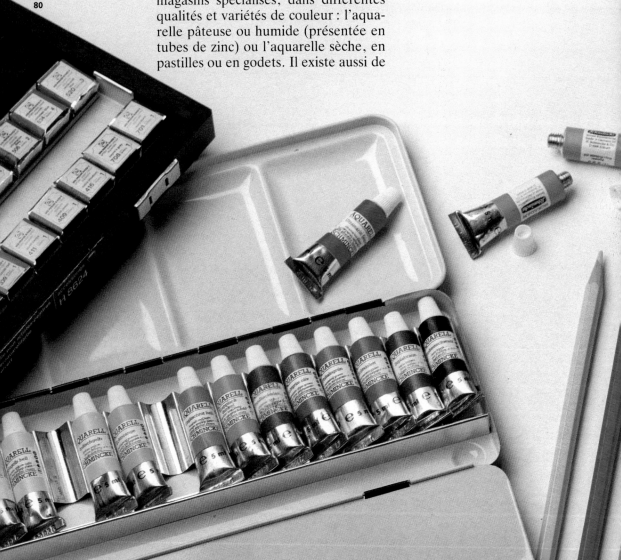

Un motif très spontané

Pour peindre à l'aquarelle, il est bon d'intégrer le concept de « peinture rapide ». Si on ne réussit pas une aquarelle du premier coup, il vaut mieux l'oublier et recommencer. Tous les bons aquarellistes ont détruit une infinité de tableaux qui ne correspondaient pas à l'idée qu'ils en avaient en les commençant. C'est en cela que réside la grande difficulté de l'aquarelle ; cependant, c'est un matériau tellement satisfaisant (lorsqu'il vous réussit) qu'il nous séduit par ses effets étonnants, et si agréable à travailler ! C'est pour cette raison, et bien d'autres, qu'il faut vivre l'enivrante aventure de la peinture à l'aquarelle. Comme toujours, les meilleurs résultats n'étant pas dus au hasard, nous constaterons qu'après avoir acquis l'habileté suffisante d'heureuses surprises récompenseront notre assiduité. Nous tâcherons de comprendre comment on peut obtenir, à partir d'une surface blanche, une peinture à l'aquarelle spontanée et « libre », où le sujet qui se trouve devant nous ne sera pas seulement une image, mais un prétexte pour exprimer nos impressions. L'aquarelle est un procédé si direct qu'on ne sait pas où finit la technique et où commence la sensibilité. C'est pour cette raison qu'il est difficile d'expliquer la méthode pour l'exécuter. Pour simplifier notre tâche, nous commencerons par tracer, d'un geste détendu, un dessin linéaire très réaliste, qui situera et ordonnera tous les éléments. Cette étape demande une certaine patience, bien que nous soyons pressés de peindre ! Mais nous devons savoir attendre pour mettre en place la structure qui assure 50 % du succès futur.

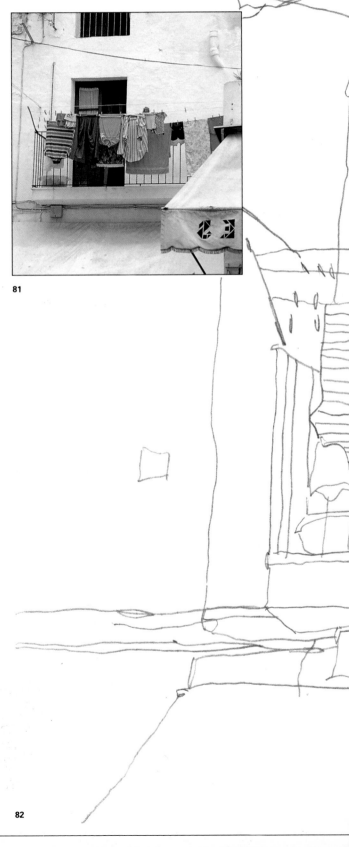

81

Fig. 81. Ce sujet pourrait facilement passer inaperçu si notre intuition ne nous aidait pas à découvrir la beauté là où elle se trouve.

Fig. 82. Esquisse de départ pour situer et ordonner les éléments.

82

Plages de couleur

Le thème choisi, riche en couleurs, nous aidera beaucoup. Concernant les touches initiales, le vêtement rose du centre et la serviette de toilette violette serviront de point de départ pour recouvrir de couleur, d'un coup de pinceau précis, chacun des vêtements. Avec un fond légèrement humide et un pinceau peu chargé de couleur, nous commencerons à donner à notre travail un caractère réfléchi. Nous étalerons la couleur de chaque vêtement sur la surface correspondante en nous efforçant de faire retomber la plus grande charge de couleur, en dernier ressort, sur les zones d'ombre. En levant le pinceau juste dans cette partie, l'humidité du papier fera le reste, la couleur glissera harmonieusement et graduellement, produisant d'étonnants effets, propres à l'aquarelle. Un autre moyen intéressant consiste à inonder le vêtement de couleur avec beaucoup d'eau. Puis, avec le pinceau essoré, on absorbe de la couleur là où l'on veut avoir un reflet brillant. C'est de cette façon que l'on peut obtenir également de très beaux dégradés.

Les bords de notre tache resteront mystérieusement découpés, en donnant plus de charme à l'ensemble. Le fond étant encore humide, nous assombrirons un peu la base ombragée du balcon. En inclinant un peu la planche à dessin, nous donnerons le dégradé désiré, lui aussi caractéristique de l'aquarelle. Encore une légère touche, et nous pourrions considérer notre aquarelle comme terminée. Beaucoup d'artistes, à cette étape, préfèrent ne pas prolonger le travail en laissant faire, s'il le faut, le hasard.

Fig. 83. Après les premiers tracés au crayon, nous plaçons les premières touches en mettant davantage de couleur dans les zones d'ombre.

83

Peu de détails en plus

Dans ce cas, nous allons continuer à travailler en ajoutant quelques détails. Nous couvrons l'ensemble du fond d'un léger ton gris-vert, qui enveloppe notre sujet. Un rien d'insistance sur quelques ombres marquera mieux les contrastes. Nous ajouterons quelques raies vertes et d'autres détails aux vêtements se trouvant des deux côtés, augmentant ainsi la richesse en couleur. On peut éventuellement donner un peu de couleur au store, à droite : une touche orange discrète pour les pinces à linge. Mais attention, nous sommes à la limite d'en faire trop ; nous nous bornerons donc à détailler un peu les fils et les barreaux du balcon afin d'arrêter là notre entreprise pour en commencer une autre. L'aquarelle, si attachante, fera de nous des inconditionnels, pour autant que nous nous familiariserons avec la technique à travers des exercices comme celui que nous venons de commenter.

Fig. 84. Étape finale. La spontanéité caractéristique de l'aquarelle, la façon de peindre d'« un premier jet » facilitent l'apprentissage de l'art de peindre vite.

84

Le personnage, un bon exercice

Nous allons essayer de faire encore mieux. Certes, la difficulté réside ici dans le thème, puisque l'intention et la technique demeurent les mêmes.

Le personnage est sûrement l'un des thèmes les moins abordés par les aquarellistes, bien que les résultats soient souvent très beaux. Nous devrons dans ce cas nous en tenir à la forme, sans nous abandonner au hasard, car les surfaces de couleur devront être plus précises. Il faut s'exprimer spontanément, certes de façon réfléchie, mais sans avoir recours à un grand effort mental. Bien que cela paraisse complexe, il est facile d'y arriver séance tenante.

Examinez attentivement comment sont données les touches de pinceau dans ces exercices : à partir d'une ébauche plus élaborée que s'il s'agissait d'un paysage (surtout pour le visage, les mains, etc.), nous éclairons le personnage avec des lavis très transparents de couleur chair et rosée qui harmonisent l'ensemble.

Au terme de cette première étape, nous devrons définir les formes en séparant le visage des cheveux avec une tache marron-violet. Nous accentuerons le ton pour les joues et les jambes — avec un petit peu d'orange — pour leur donner plus de vie, et nous marquerons les ombres avec plus de force, afin que le personnage ressorte mieux. Voyez ! Ce n'est pas si difficile. La seule chose qui puisse arriver avec l'aquarelle, c'est, comme nous l'avions annoncé, que ce ne soit pas réussi dès le premier essai. Si c'est ce qui arrive, restez calme et essayez de nouveau, en pensant que votre tentative téméraire n'aura pas été vaine. Au contraire, il se sera agi pour vous d'une expérience utile qui vous aura donné plus d'adresse, plus d'aisance et plus d'efficacité.

Fig. 85. Essai de couleur sur un papier à part, très utile pour ce genre d'exercice.

Fig. 86. Le personnage présente quelques difficultés lorsqu'on cherche une solution rapide.

Fig. 87. Un dessin bien construit nous donnera la confiance nécessaire pour réussir notre peinture.

Fig. 88. Résultat final un dessin bien construit, et nous pouvons résoudre notre problème.

PEINDRE VITE
AU PASTEL

Le matériel

Le pastel est un matériau fragile qui donne des couleurs très denses. Il est tout à fait adapté au type d'expression que nous étudions dans ce livre. Tout en étant très précis, le pastel permet de peindre vite et efficacement. Il s'agit d'une couleur en poudre sèche agglutinée avec de la gomme arabique. On la trouve sous forme de bâtonnets cylindriques à peu près de la taille d'un petit doigt. Il a été utilisé par de grands artistes pour faire des ébauches, qui, plus tard, sont devenues de grands tableaux à l'huile. Degas a peut-être été l'artiste qui a fait le plus de pastels, nous laissant de fort belles œuvres.

Les gammes ou les étuis que nous offre le marché sont nombreux et variés. Il existe de très bonnes marques à des prix intéressants. Une petite boîte de pastel commode et propre est facile à emporter et l'on peut, à n'importe quel moment, exécuter un croquis en couleur, selon l'art de peindre vite. Les petits restes seront utiles pour de touches particulières ou des points brillants. Nous devrons bien protéger c matériel fragile, de même que l'œuvr terminée. Celle-ci peut-être fixée o protégée par un papier fin. N'import quel papier possédant assez de grai pour frotter le matériau peut être uti lisé. Mais il est conseillé de travaille sur papier Canson, que l'on trouv dans une grande variété de couleurs « Peindre » au pastel sur une couleu de base facilite en partie le travail lors qu'on harmonise la totalité du thème Parmi les accessoires de la « peinture au pastel, on peut utiliser des crayon pastel, des estompes, de la gomm mastic, un pinceau pour éliminer ou ef facer en partie des zones, des chiffon ou des papiers buvards, des pinces, d fixatif, etc. La technique du pastel est d plus en plus employée par des artiste non académiques. Elle offre la possi bilité d'exprimer une idée avec facilité

89

Fig. 89. Présentation du matériel. De gauche à droite : flacon de fixatif Talens ; gamme de couleurs au pastel Rembrandt ; bâtonnets de pastel à l'huile Panda ; étui de crayons Conté avec gomme mastic ; pinces ; crayon Rexel Cumberland de couleur sienne ; estompes blanches ; pinceau jap nais Drawel golden n lon ; crayon HB Derwen Sketching ; porte crayons ; craies de co leur Faber Castell ; étui c crayons pastel Otelo boîte de pastels Schmin cke ; gommes Pelika et Factis ; rouleau d papier absorbant.

89A

89B

Fig. 89 A. Gamme de papier Canson de couleurs diverses.

Fig. 89 B. Restes de bâtonnets de pastel, très utiles pour les petits détails.

Peindre un nu

Le personnage, particulièrement le nu féminin, est un thème tout à fait indiqué pour explorer les possibilités du pastel et ainsi les mieux connaître. Nous allons nous efforcer de le comprendre tout en ayant l'idée préconçue d'obtenir une peinture directe et très « libre ». Bien que nous poursuivions toujours le même but, nous nous accorderons ici le droit d'effacer, mais sans exagérer, car le pastel, comme l'aquarelle, est apprécié pour la spontanéité qu'on y met.

Bien. Nous avons la chance de nous trouver en face d'une jolie jeune fille qui a bien voulu poser pour nous. Sa pose indolente et sereine, son charme sensuel attisent notre envie de commencer. Mais, comme il s'agit d'un personnage, nous n'aurons pas d'autre solution que de situer tous les éléments à leur juste place en nous aidant, si nécessaire, du quadrillage formé de carrés et de diagonales, en supposant, bien sûr, que nous partons d'une photographie ou d'une image. Dans le cas d'une peinture d'après nature, nous devrons avoir recours au quadrillage classique pour avoir un dessin qui soit juste. Travailler avec des modèles professionnels n'est pas toujours facile, mais, dans tous les cas, l'important est d'avoir des idées claires et de ne pas nous éloigner de ce que nous prétendons réaliser : une peinture avec un minimum de moyens, qui soit spontanée tout en ayant de la force.

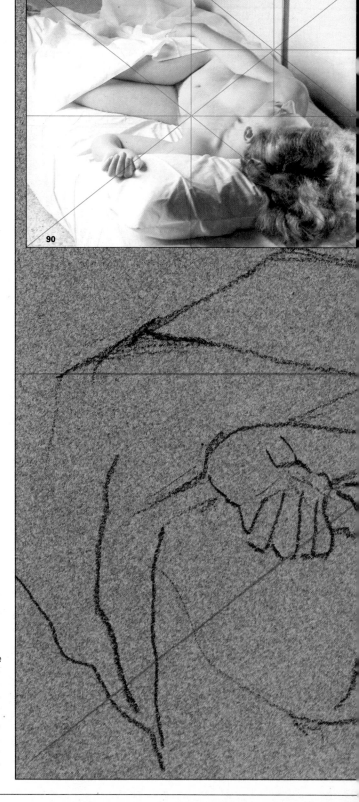

91

90

Fig. 90 et 91. Cette jeune fille invite à exécuter un pastel avec toute la délicatesse et la sensualité dont on est capable. On commence à dessiner à l'aide de carrés et de diagonales ; le reste s'élabore avec enthousiasme.

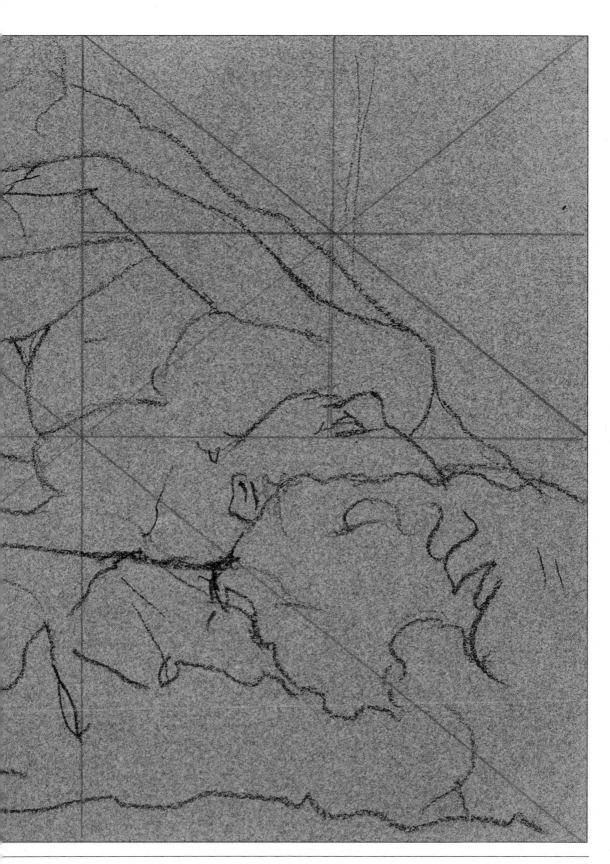

Deuxième étape

Sur un papier Canson de ton gris neutre, nous commençons à tracer nos premiers traits de couleur. Avec des moitiés de bâtonnets ou de petits morceaux, il sera plus facile d'appliquer la couleur avec laquelle on place dès le début les tons les plus évidents. Une couleur chair pour la partie du corps sur laquelle tombe la lumière ; du violet-marron à l'endroit de l'ombre ; du marron foncé avec quelques touches de jaune et d'ocre (reflets) dans la chevelure ; du blanc pur dans les parties lumineuses du drap ; du gris, des bleus et des violets également dans les zones du drap qui restent dans la pénombre. Nous donnerons aussi quelques touches de rose, d'orange et de carmin en ces points clés où affleure la couleur.

Pour tracer des bandes de couleur, nous utilisons toute la surface du bâtonnet en le plaquant complètement contre le papier, alors que, pour les tracés plus linéaires, les silhouettes et les profils, nous tiendrons le bâtonnet légèrement incliné en tirant profit des arêtes ou des petits tronçons restants. Nous devons travailler cette étape avec insouciance, puisqu'il s'agit d'arriver à une approximation de ce que nous cherchons réellement. Plus tard, nous pourrons enlever, ajouter et mélanger ces premiers apports de matière.

La technique de la peinture au pastel exclut l'utilisation de la palette, les mélanges, les dégradés et les fondus se faisant directement sur le papier. Certains artistes font des essais de couleur en marge de la partie peinte, sur le bord du papier. Ces taches peuvent être utiles pour apporter au tableau des nuances que l'on ne trouve pas en bâtons. Nous couvrirons nos doigts avec ces couleurs et les passerons sur le tableau.

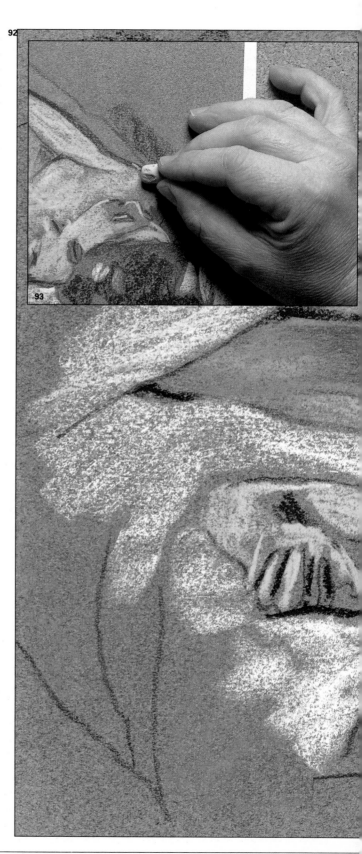

Fig. 92 et 93. Cette pose de couleur initiale doit nous aider à situer les volumes les plus accentués. Nous nous servons ensuite d'un demi-bâtonnet de pastel, que nous tenons incliné.

Troisième étape

Les doigts ! Ce sont les principaux ac-teurs. Nous leur confions la tâche la plus importante. Ils vont être les inter-prètes de nos sentiments. En contact intime avec le papier et avec le pastel, ils estomperont la couleur en frottant et étalant tout le matériau mis en place précédemment. Grâce aux doigts, il émanera du tableau une ambiance va-poreuse, floue, quelque chose d'abs-trait, et d'important pour traduire nos intentions.

Durant cette troisième étape, nous es-tompons et caressons à la fois tout le personnage et ce qui l'entoure. En mé-langeant et interchangeant les couleurs d'une zone à l'autre, nous peignons avec les doigts. Les couleurs perdent de leur pureté pour se fondre et prendre place là où il faut. Nous ajouterons, si besoin est, un autre ton à l'ensemble. Ce moment est peut-être le plus décisif, car nous parvenons à l'étape finale où il faut risquer le tout pour le tout. Le sujet est noyé dans le fondu artistique du pastel, donnant une certaine aisance à l'ensemble. Cette fraîcheur de la couleur et le flou du dessin sont suggérés par l'estom-page. Si nous ne sommes pas parfai-tement satisfaits, nous pouvons effacer partiellement avec un chiffon et tenter d'améliorer certains détails, en gardant l'avantage de maintenir dans le fond quelques tons plus légers (reste du gommage) et susceptibles d'être retra-vaillés.

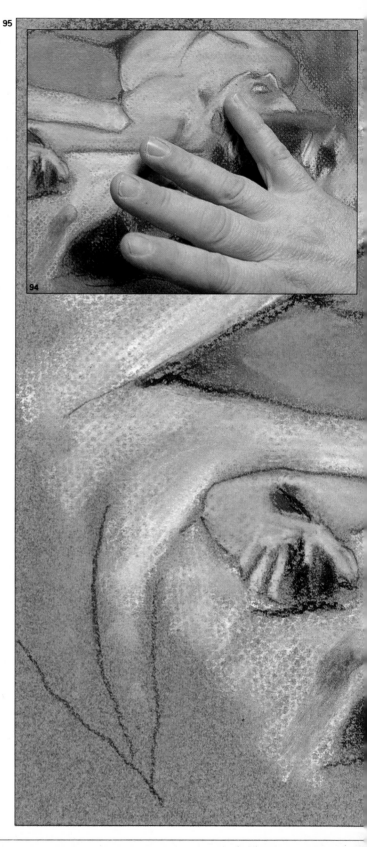

Fig. 94 et 95. L'estom-page, dans la peinture au pastel, est sans au-cun doute l'âme de notre travail. Comme si nous caressions ses formes, nous obtien-drons un effet d'atmo-sphère magique.

Attention !

Avec le pastel, on court également le 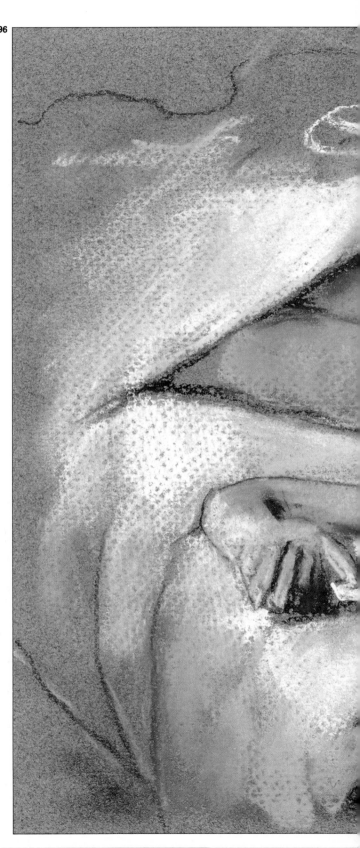 risque de faire un tableau trop léché. Cela n'étant pas notre but, nous mettrons notre intelligence à l'épreuve pour tirer parti du compromis. Une fois l'estompage général de la couleur exécuté, nous nous attacherons aux reflets et autres effets colorés pour permettre à notre fantaisie de s'exprimer. Dans ce sens, le pastel nous offre toutes les possibilités de nous «libérer» et d'être nous-mêmes. Les effets de couleur sont présents sur toute la surface lisse du corps de la jeune fille ; il faut les découvrir et leur donner toute leur valeur. En appliquant des traits fins dans les tons bleus, roses et verts sur les premières lignes des profils, on obtiendra une vibration très particulière. Et, si certaines touches de pinceau nous paraissent excessives, nous pourrons les adoucir de nouveau avec le doigt. N'abusons pas non plus de «recherches géniales» inutiles, qui ne feraient qu'altérer l'harmonie générale. Nous devons doser le jeu d'ombre et de lumière et ne pas rompre l'équilibre.

«Le charme du pastel, disait F. Serra, consiste à laisser le spectateur compléter en esprit une œuvre que l'artiste a laissée à l'état d'ébauche.» Ces propos répondent à l'intérêt que nous portons à l'art de peindre vite, à notre désir d'exprimer des sensations sans nous perdre dans le détail ; ils répondent à notre prédilection pour ce qui est simple. C'est pour cette raison que nous avons décidé de laisser l'œuvre telle quelle, immédiatement, non sans éprouver, bien sûr, la satisfaction d'être arrivé à ce que nous nous étions proposé.

Fig. 96. Avec quelques points brillants et des effets de couleur, nous pouvons donner un caractère achevé à un thème intimiste.

CONSEILS PRATIQUES

Détails à considérer

Nous voulons commencer ce chapitre par quelques observations qui peuvent être utiles. Tout artiste doit être capable de résoudre un certain nombre de petits problèmes qui, sans être strictement picturaux, peuvent gâter une œuvre au moment capital de son exécution. Par exemple : comment fixer en toute sécurité votre chevalet un jour de grand vent ? Un bon conseil : toujours se munir de cordes. Ne pas oublier les chiffons ou le papier essuie-tout. L'utilisation de pinceaux usagés peut être une solution économique pour donner des coups de pinceau vigoureux. Un autre point important à considérer est la qualité des peintures et des supports. Il est évident qu'en utilisant des matériaux de bonne qualité nous obtiendrons de meilleurs résultats. Dans ce sens, il ne faut pas lésiner sur les moyens. Voyez la photo ci-contre : on vous y montre la solution idéale pour protéger une toile fraîchement peinte. En plus des pinceaux, il est recommandé d'utiliser des spatules qui serviront autant à peindre qu'à racler la peinture sèche sur notre palette. Si nous n'avons pas envie de nettoyer le matériel que nous venons d'utiliser, il faut au moins laisser tremper les pinceaux dans l'eau pour qu'ils ne sèchent pas, sinon ils deviendront inutilisables. Lorsque vous n'arrivez pas à dévisser le bouchon d'un tube, approchez-le d'une source de chaleur (une allumette par exemple) pour l'ouvrir.

Il est également intéressant de constater que l'on peut tirer profit des toiles déjà peintes. Leur texture peut raviver, ressusciter une œuvre et lui donner plus de valeur. En imprimant une seule couche de couleur uniforme, nous pourrons refaire une tentative. N'oubliez pas de signer votre œuvre terminée, mais faites-le sans ostentation. Si votre tableau a attiré l'attention, la personne intéressée saura bien trouver votre signature. Nombreux sont les détails qui peuvent nous aider dans notre travail. Notre propre expérience et celle des autres peuvent

97

99

nous servir à accroître nos connaissances du métier. Il est conseillé de travailler en groupe, d'échanger ses expériences et ses impressions.

1

102

103

105

Fig. 97 à 105. Dans ces illustrations, vous trouverez un certain nombre de conseils pratiques, tous très utiles : pour stabiliser le chevalet lorsqu'on peint à l'extérieur ; pour transporter la toile et tirer profit de celle-ci lorsqu'elle est usagée ; pour dévisser le bouchon d'un tube de peinture lorsqu'il est coincé.

104

Le contact avec la nature

Voici une expérience très intéressante pour l'artiste : se laisser porter par l'ambiance qui l'entoure, s'en imprégner. Ce peut être évidemment une ambiance urbaine. S'il s'agit de la nature, il est normal qu'elle produise sur nous un effet plus exaltant. La nature, avec toute sa force expressive, ses couleurs et ses odeurs, stimule nos sens ; le désir de peindre avec spontanéité se manifeste alors avec plus d'intensité. Il faut pour cela se laisser entraîner par le rythme des formes qui nous entourent, et donner libre cours à notre imagination créatrice.

Il n'est pas étonnant que bien souvent l'artiste perde la notion du temps et parte à l'aventure avec enthousiasme pour mettre à l'épreuve son talent. Une sensation que ceux qui n'ont jamais senti l'appel de l'art devraient connaître un jour.

La vie et la nature s'offrent à nous. Pourquoi ne pas profiter de cette occasion pour donner forme à tout ce qu'elles nous proposent ? Nos pinceaux et nos doigts réagiront certainement devant ce spectacle.

Chaque lieu peut nous captiver par sa couleur ou ses aspects changeants. En faisant un effort, nous pouvons nous sentir interpeller par le sujet choisi : tel est notre propos. Laissons-nous vaincre, puisque ses qualités plastiques nous ont déjà conquis. C'est seulement de cette façon que nous obtiendrons un travail profitable, un résultat digne de cet enthousiasme que provoque l'observation de la nature et de ses charmes. On peut dire de même que la peinture est un acte d'amour envers la nature lorsque le peintre éprouve le désir d'immortaliser l'enchantement d'un beau paysage.

L'équipement de campagne

Si nous décidons d'aller peindre à l'extérieur, nous devons penser à rassembler tout le matériel nécessaire pour que tout se passe bien et que nous tirions le plus grand profit de notre travail. Il ne s'agit pas d'obliger qui que ce soit à suivre un ordre défini, puisque notre équipement dépendra surtout du type de peinture que nous pratiquerons, de la personnalité et des besoins de chaque individu. Nous citerons quelques outils utiles, et d'autres susceptibles d'être utilisés selon chaque situation.

Il vaut mieux mettre pour peindre des vêtements usagés. Nous nous sentirons plus à l'aise et plus libres, et nous n'aurons pas peur de nous tacher. S'il y a du soleil, nous prendrons un vieux chapeau pour nous protéger. S'il fait très chaud, nous emporterons une boisson fraîche. Personnellement, j'aime beaucoup travailler avec une musique de fond. L'important est de se sentir le mieux possible. Nous vous conseillons la boîte-chevalet, très utile, dont le transport est facile, et qui contient dans le même emballage le chevalet, la boîte de peinture et les châssis ainsi que quelques accessoires nécessaires. Nous devons penser au siège pliant type « pêcheur », aux toiles, aux couleurs et aux pinceaux de rechange, à de vieux chiffons, à un petit cadre pour cadrer le sujet et à un appareil photographique, dans le cas où nous voudrions fixer le sujet qui a éveillé notre attention. Tout cela n'est qu'une remarque générale. Chaque artiste adaptera son matériel à sa propre façon de travailler.

107

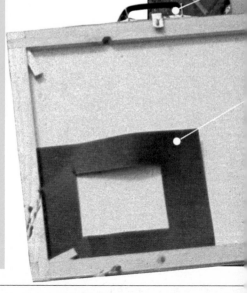

Fig. 107. Table internationale des mesures en centimètres des châssis pour la peinture à l'huile, classés par thèmes.

Fig. 108. Équipement proposé pour peindre en plein air.

MESURES INTERNATIONALES DE CHÂSSIS

N.º	PAYSAGE	FIGURE	MARINE
1	22 × 14	22/16	22 × 12
2	24 × 16	22/19	24 × 14
3	27 × 19	27/22	27 × 16
4	33 × 22	33/24	33 × 19
5	35 × 24	35/27	35 × 22
6	41 × 27	41/33	41 × 24
8	46 × 33	46/38	46 × 27
10	55 × 38	55/46	55 × 33
12	61 × 46	61/50	61 × 38
15	65 × 50	65/54	65 × 46
20	73 × 54	73/60	73 × 50
25	81 × 60	81/65	81 × 54
30	92 × 65	92/73	92 × 60
40	100 × 73	100/81	100 × 65
50	116 × 81	116/89	116 × 73
60	130 × 89	130/97	130 × 81
80	146 × 97	146/114	146 × 90
100	162 × 114	162/130	162 × 97
120	195 × 114	195/130	195 × 97

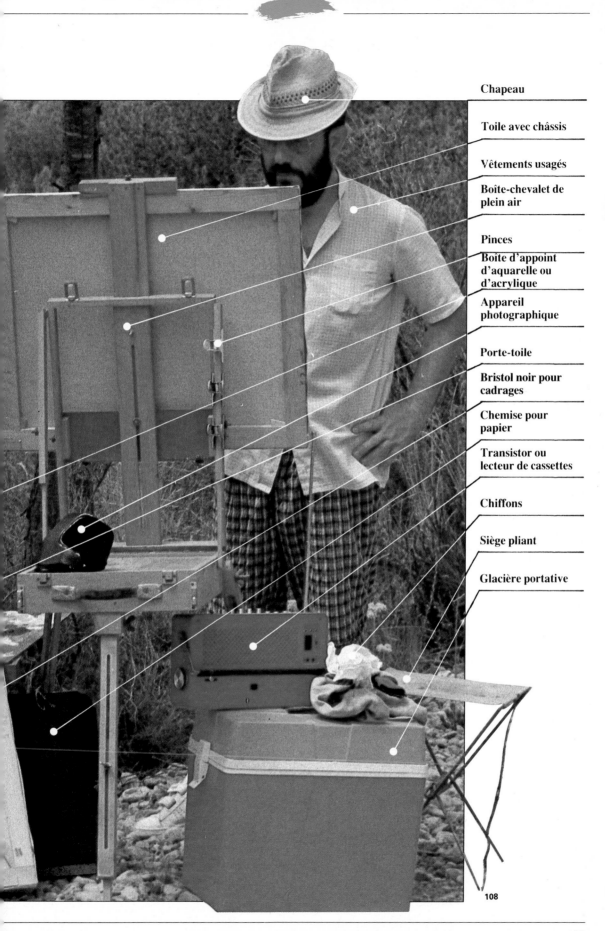

Chapeau

Toile avec châssis

Vêtements usagés

Boîte-chevalet de plein air

Pinces

Boîte d'appoint d'aquarelle ou d'acrylique

Appareil photographique

Porte-toile

Bristol noir pour cadrages

Chemise pour papier

Transistor ou lecteur de cassettes

Chiffons

Siège pliant

Glacière portative

108

Le croquis

Le croquis, ou l'esquisse, peut être utilisé pour commencer un tableau, ou bien servir d'aide-mémoire pour se rappeler le sujet d'un tableau. Je vous recommande de le pratiquer, car c'est un excellent exercice mental.

Si vous êtes fréquemment à la recherche de sujets pour vos tableaux, le croquis vous aidera à développer votre créativité et à choisir le sujet. De plus, à travers le croquis vous apprendrez à dessiner des formes diverses et, par-dessus tout, vous acquerrez les mécanismes grâce auxquels vous parviendrez à une totale maîtrise de l'art de peindre vite.

Prenez l'habitude de sortir dans la rue avec un bloc de papier et une petite boîte d'aquarelles ou de pastels. Vous constaterez l'extraordinaire variété des scènes quotidiennes qui s'offrent à vous et qui se prêtent à l'art de peindre vite.

De la sorte, vous améliorerez votre pratique, et vous disposerez d'un foisonnement de sujets pour faire des tableaux.

109

Fig. 109. Une boîte d'aquarelles ou de pastels, quelques pinceaux — fins ou épais —, un bloc de papier vergé avec feuilles protectrices, une craie de couleur, un crayon pastel, une gomme : voici tout le matériel dont on a besoin pour faire un croquis.

Soyez vous-même

Il est souvent important de trouver sa personnalité, son style propre, et cela particulièrement en peinture. Un même sujet peut être interprété de façons très différentes. L'exécution de notre tableau pourra être très subtile, énergique, figurative ou abstraite, mais sera toujours un reflet de notre caractère. L'art étant l'expression des sentiments de chacun, l'important est d'être sincère avec soi-même et de traduire notre vision telle que nous la « sentons » vraiment. Soyez toujours vous-même.

Nous ne montrerons que trois exemples, les possibilités d'expression étant infinies. C'est la raison pour laquelle aucun artiste ne ressemble à un autre, et c'est dans la diversité des styles que l'art s'enrichit chaque jour. Nous nous reconnaissons ici promoteurs d'une manière et non pas détenteurs d'une formule secrète pour peindre brillamment. Notre seule intention est d'encourager le désir d'être vous-même, avec l'expérience acquise,

votre sensibilité, et autant de sincérité que possible. Ainsi moralement paré, vous vous sentirez dans les meilleures dispositions, et ne redouterez pas les échecs que vous connaîtrez sans doute au début. Du fait qu'il n'existe aucune méthode particulière, vous arriverez à vous faire une personnalité en créant et en améliorant un style qui vous sera propre, le tout en travaillant sans relâche chaque jour.

110

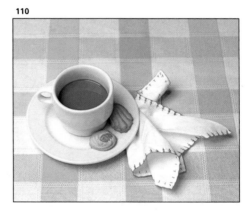

111

Fig. 110. Cette nature morte toute simple nous sert de point de départ pour montrer trois possibilités d'interprétation très différentes les unes des autres.

Fig. 111. Le thème photographique traité avec une extrême délicatesse, comme avec timidité, ne fait qu'insinuer l'idée.

112

Fig. 112. Une forme d'expression assez couramment utilisée : un croquis peint à l'acrylique.

Fig. 113. Une autre solution plus efficace, avec des tons à la gouache très brillants.

113

Présenter l'œuvre

Notre tableau est terminé. Nous devrons l'encadrer. Ce sera suffisant pour le mettre en valeur. Car il n'est point besoin de pousser le tableau : cela est réservé à un autre style de peinture. Le cadre donne toujours de la grandeur et de l'allure à une peinture, et lorsqu'il s'agit de peindre vite, un bon encadrement contribue beaucoup à le parachever. Cela est dû au contraste qui s'opère entre le coup de pinceau libre, désinvolte, et le soin, la perfection de l'encadrement.

Le type de cadre sera différent selon qu'il s'agira d'une peinture à l'huile ou à l'acrylique, d'un pastel ou d'une aquarelle. Les œuvres sur papier devront être protégées par un verre et un passe-partout, en laissant une couche d'air intermédiaire. La qualité et la dimension du cadre dépendront de notre goût et du lieu où on l'installera.

Certains artistes font eux-mêmes le travail d'encadrement, mais il est préférable de le confier à des spécialistes. Ce seront finalement du temps et de l'argent gagnés.

Nous constaterons aisément la différence qu'il peut y avoir entre un tableau bien encadré et les autres œuvres accrochées au mur. Tous ont été peints avec le même enthousiasme et la même application, et ils méritent tous l'honneur d'être encadrés.

Qu'il s'agisse ou non de peindre vite, c'est de peinture tout court qu'il faut parler, et cette peinture est, ni plus ni moins, la nôtre.

114

Fig. 114. La forme et la couleur du cadre de bois devront être en harmonie avec la peinture à encadrer. Sa largeur, également, dépendra du style adopté.

Fig. 115. Le passe-partout doit avoir une couleur qui aille avec le cadre et s'harmonise avec tout l'ensemble ; il sera d'une largeur supérieure à celle du cadre.

Fig. 116. Un rivet métallique enrichit encore plus notre œuvre, mais surtout il la sépare du verre, pour autant qu'il s'agisse d'aquarelle, de pastel ou de peinture du même genre.

Fig. 117. Le verre n'est la protection finale que pour les œuvres sur papier. La peinture à l'huile peut s'en passer.

Fig. 118. Dans un magasin spécialisé, nous trouverons quantité d'idées pour adapter et « habiller » nos œuvres de la façon la plus digne d'elles.

118

ARTISTES
SPÉCIALISÉS

Huile

Nous allons illustrer, dans ce chapitre, comme dans une galerie, quelques œuvres dues à la main de très bons artistes et qui, par leur facture, s'apparentent à l'art de peindre vite. Nous admirerons et étudierons leurs coups de pinceau, et nous nous mettrons au travail, ce qui est la seule façon d'avancer dans cette spécialité.

Ces images peuvent vraiment nous parler et nous faire comprendre comment abstraire. L'observation nous enseignera mieux, et plus vite que les mots, l'attitude que nous devons adopter pour entrer dans la catégorie des artistes énergiques. Notre admiration pour ce type de peinture augmentera à mesure que nous découvrirons d'autres artistes travaillant de cette manière et dont les goûts sont proches des nôtres.

Nous vous présentons ici des artistes comme Badía Camps, A. Satorra et T. Llàcer. Ils ont en commun leur choix déterminé pour la peinture figurative, servie par un métier solide (une grande sûreté d'exécution, en définitive) qui leur donne une liberté contrôlée par une main habile que nous aimerions avoir.

119

120

Fig. 119 et 120. Deux bons exemples de l'art de peindre vite à l'huile : deux tableaux dus à Badía Camps et Amadeo Satorra, qui y manifestent leur très grande maîtrise technique.

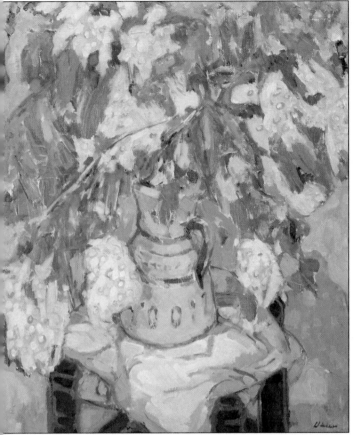

Fig. 121 à 123. Teresa Llacer (fig. 121 et 123) et Badía Camps (fig. 122) nous montrent dans ces trois œuvres toute leur habileté à peindre vite.

121

122

123

Acrylique

Ces exemples montrent comment
peinture à l'acrylique donne des résu
tats semblables à ceux de la peinture
l'huile. Nous voyons que les artiste
qui ont choisi ce moyen s'expriment
avec la même liberté. Il s'agit i
d'œuvres de C. Prunés.

Ces artistes brillants nous encourage
à suivre leurs pas. Ils nous montre
toutes les possibilités du matériau et,
nous sommes très attentifs, nous r
marquerons l'effet caractéristique d
la texture : la touche au pinceau pre
que sèche, superposée, méditée, pr

124

it une sensation de grande fraîcheur.
y a de plus en plus d'adeptes de la
inture à l'acrylique, soit parce qu'ils
considèrent comme une expérience
uvelle, soit parce qu'ils aiment pro-
er de tous les avantages d'un maté-
u très couvrant, qui sèche rapide-
ent et permet de pratiquer une pein-
re libre, transparente, à laquelle tous
ux qui ont travaillé l'huile peuvent
dapter.

. 124 à 126. Trois
mples de l'art de
ndre vite à l'acryli-
e dus à Carles Pru-

nés, qui interprète ici le
modèle à travers la syn-
thèse.

125

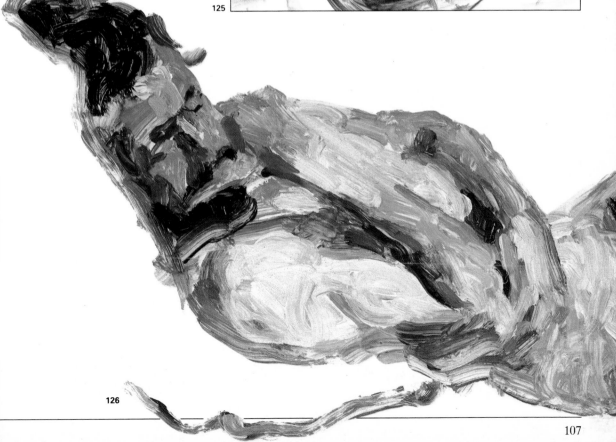

126

Aquarelle

Ces très beaux exemples de peinture à l'aquarelle pleins de simplicité, de maîtrise et de spontanéité s'adressent immédiatement à notre esprit et le fait vibrer. Ce sont des œuvres de peintres sensibles, comme C. Prunés et V. Ballestar. C'est un ensemble de ce que l'on peut faire avec l'aquarelle, le matériau le plus utilisé après l'huile dans l'histoire de la peinture. Ce matériau est tendre et particulièrement indiqué... pour « murmurer » des sensations délicates. C'est la peinture suggérée, esquissée, timide et puissante, parfois géniale.

L'art de l'aquarelle n'est pas une voie facile, mais elle est pleine de surprises agréables, de coups de chance, comme si des « bonnes fées » se penchaient sur nous. Si nous ne perdons pas confiance, nous arriverons à dominer le matériau et à tirer parti de toutes ses qualités. Il suffit de lire chaque touche de pinceau, d'en suivre la direction, d'en comprendre l'intensité et, surtout, de faire un essai quitte à se tromper pour recommencer sans perdre courage. De bonnes aquarelles comme celles-ci nous stimuleront et nous rendront plus suave ce chemin passionnant.

Encore un conseil : en ce qui concerne l'aquarelle, il vaut mieux pécher par défaut que par excès.

Fig. 127. Nu peint à l'aquarelle par Carles Prunés. Vous remarquerez là encore toute sa faculté de synthèse.

127

Fig. 128 et 129. Deux tableaux de Vicente Ballestar, exécutés avec une remarquable aisance. Ils offrent de nouveaux exemples de l'art de peindre vite.

128

129

Pastel

Le pastel est certainement l'un des matériaux le plus indiqués pour peindre vite et je ne peux me passer de mes petits bâtonnets magiques, de leurs coloris et de leur commodité.

Les exemples que nous présentons ici vous apportent une nouvelle preuve des possibilités du pastel. Celui-ci, ou bien contrasté ou bien subtil, nous invite à connaître ses particularités. Des peintres au pastel d'aujourd'hui comme J. Raset, bon professionnel, nous rapprocheront du monde du pastel utilisé d'une façon plus ou moins libre, car celui-ci peut nous conduire du figuratisme photographique à l'expression la plus libre que l'on puisse imaginer. Cela dépendra toujours de la créativité de l'artiste. Les impressionnistes commençaient souvent leur projet de peinture à l'huile par des croquis au pastel. Ceux-ci étaient parfois plus frais, plus sincères que le tableau définitif. Beaucoup de ces travaux, qui ont gardé toute leur fraîcheur, sont conservés au musée d'Orsay.

Le pastel convient parfaitement, me semble-t-il, pour exprimer un sentiment fugitif. Les croquis rapides au pastel ont un charme particulier, et tous les amateurs de peinture devraient faire l'expérience de ce matériau.

130

Fig. 130. Nu peint au pastel par S.G. Olmedo. Les sujets féminins sont souvent utilisés dans la peinture au pastel en raison de leur délicatesse et de leur facilité d'adaptation.

g. 131 et 132. Joan
...set nous montre dans
s deux tableaux peints
 pastel la technique
 tracé qui est la
...enne.

131

Remerciements

Voici le moment le plus émouvant de mon travail : exprimer ma reconnaissance. Comme tout artiste, j'ai par nature un tempérament sensible et j'ai été touché par les personnes qui ont mis à ma disposition leurs connaissances et leur talent. Je dois remercier J.M. Parramón pour sa considération envers les artistes qui ont collaboré à ce travail, et également tous les amis qui m'ont aidé à réaliser ce projet. Si tous ensemble nous avons réussi à vous apprendre la manière d'arriver à d'excellents résultats en peignant vite, nous serons satisfaits, car nous aurons atteint notre but : encourager les artistes à peindre avec un dynamisme et une spontanéité qui, peut-être, avant la lecture de ce livre, leur paraissaient impossibles. Nous ne rejetterons jamais la peinture élaborée, mais nous voulons seulement faire entendre notre préférence pour une expression rapide, car nous croyons que c'est d'elle que peut jaillir le génie.

L'auteur souhaite beaucoup de chance et de volonté à toutes les personnes qui sont en accord avec ces idées, afin qu'elles connaissent le succès. Puissent-ils entendre dire par leurs admirateurs : « Quelle liberté dans le coup de pinceau ! » Si les exemples et les expériences que nous avons commentés peuvent vous aider, je serai comblé.

S. G. OLMEDO

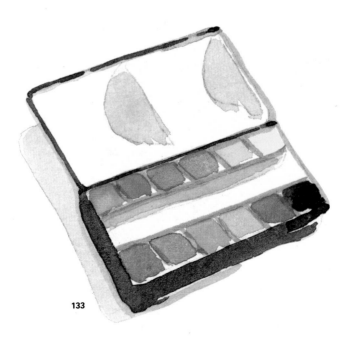

133